JN025772

ネイティブが教える

英語の副詞の使い方

デイビッド・セイン *David A. Thayne*

研究社

ネイティブが教える
英語の副詞の使い方

Natural Adverb Usage for Advanced Learners

PRINTED IN JAPAN

はじめに／本書の使い方

　英語の使い方でいちばんむずかしいのは、副詞ではないかと時々思います。副詞は修飾する形容詞や動詞との関係、文全体ではたす役割が特に複雑で、英語を読む際にも書く際にもいろいろなことを考える必要に迫られるからです。

　特に英語を書く際、「ここで副詞を使うのが効果的だろうか、むしろ形容詞や動詞を使って意味をわかりやすくするのがいいのでは？」と考えたりします。わたしもアメリカの小学校や中学校の作文の授業で、「なるべく副詞を使わずに、同じ意味の形容詞や動詞で表現してみよう。そのほうが効果的に伝えられることもあるし、くだけた言い方を避けることもできる」とアドバイスされたことがあります。確かに英語初級者が英語を書くときは、副詞を使わないほうがすっきり意味の通ることはあります。

　そして「副詞を使いこなす」だけでなく、日本人の英語学習者のみなさんは「副詞を読んで聞いて理解する」ことも必要ですよね？　「単純形副詞」（flat adverb）を含めて口語的な副詞の使い方も知っておくことが大切です。

　そんなことを考えたうえで、上に述べたような問題をすべて本書に盛り込みました。

　１部では「どんなときに副詞を使うのがいいか？」ということを考えてみます。1「形容詞や名詞を使ったほうが自然と思われる場合」、2「副詞を使って効果的に表現できる場合」、3「副詞も形容詞もどちらも自然に使われるが、意味が異なる場合」、4「形容詞と同形の副詞」、5「単純形副詞を使ったほうが自然と思われる場合」、6「単純形副詞、-ly 形の副詞のどちらも使われるが、意味が異なる場合」7「置かれる位置などで意味が異なる場合」の７項目に分けて説明します。

　英語を書くときは形容詞や動詞を使ったほうが効果的なこともあるのですが、話すのであれば副詞を使ったほうが普通であることも少なくありません。

　たとえば、次の例をご覧ください（23 ページ）。

> 8. ハチ公は飼い主が戻るまで 9 年間待ちつづけた。
>
> A: Hachiko waited **patiently** for nine years for his owner to return.
>
> B: Hachiko was **patient** as he waited nine years for his owner to return.

どちらも言えますが、副詞 **patiently**（我慢強く、根気強く）を使った A が自然です。B の形容詞 **patient** を使った言い方は回りくどく感じます。**enduringly**（永久的に、いつまでも）も同じ意味で使われます。

She sat and waited **enduringly** for her son's return.
（彼女は息子が戻るのを辛抱強くずっと座って待っていた。）

ただし enduringly は小説などで使われるものの、文語的表現のため日常会話ではまず使わないでしょう。

また、形容詞と副詞が同形ですが、意味の違うものもあります（34 ページ）。

> 1
>
> A: We want a **clean** election. [形容詞]
> 公明正大な選挙を求める。
>
> B: It looks like she **clean** forgot to invite me to her party. [副詞]
> 彼女はわたしをパーティに呼ぶのをすっかり忘れたようだ。

B の副詞 **clean** は「すっかり、きれいに」の意味で使われます。**cleanly**（42 ページ）という副詞もあるので、注意しましょう。

「単純形副詞」もごく自然に使われますし、そちらを使った言い方のほうが自然だったりします 39-40 ページ）。

> 2. 違う考え方をしよう。
> A: Think **different**.
> B: Think **differently**. ▲

different も副詞として「…と異なって、異なるように」の意味で使われるので、今は A のほうがなじまれているように思います。実際こちらは、1997 年のアップルコンピュータの広告キャンペーンのスローガンとして使われました。

　ここで単純形副詞について説明します。これはいわゆる -ly のつかない副詞です。上の例では differently も副詞ですが、different も副詞として用いられます。そしてここでは、Think differently. を不自然と思うネイティブが明らかに多いでしょう。

　ただし、単純形副詞は「口語的すぎる」、人によっては「誤用である」と見なす学者もいますし、実際この Think different. の different もイギリスではあまり使われません。辞書はこのあたりのことを十分に考えたうえで、「使って問題ない」というものを掲載し、説明していますから、単純形副詞はこれまでなかなか取り上げられませんでした。ですが、最近の辞書にはこうした単純形副詞も副詞として定義されていることがありますので、使い方に悩んだら、ぜひお手元の辞書をチェックしてみてください。

　おすすめは研究社の『ライトハウス英和辞典』と『コンパスローズ英和辞典』です。どちらも日本人の学習者を十分に意識して作られていますが、本書執筆にあたって 2 冊をよく見てみたところ、ネイティブが学ぶべきこともたくさん記されていて感激しました。英語学習は辞書の適当な用例を見て覚えて使ってみるのがいちばんです。この 2 冊の辞典はみなさんのご期待に十分に応えてくれるでしょう。インターネットではなかなか期待できないことです。

　また II 部「副詞の使い分け」では、1「可能性、確実性」、2「程度」、3「頻度」、4「時期、強調そのほか」、5「目に見える、感じられる状態」6.（内面の）状態、様子」の 6 つに分類して、各副詞を比較、説明しました。

I'm very sorry, but I ------- forgot about the meeting.

ごめんなさい、(　　　　) 忘れていました。

●●● completely
●●● entirely
●● totally
✕ absolutely
✕ utterly

　　completely（完全に、まったく）がここではいちばん自然な言い方です。「完全に頭から消えてしまった」ことが表現されています。

　　entirely（まったく、すっかり）もこの状況では問題なく使えます。

　　totally（まったく、すっかり）は口語的な言い方で、自分の気持ちなどを表現する場合によく使います。最近は感情を強調する際にも使われますが、これを聞くと不愉快になる人もいます。フォーマルな言い方や論文を書く際に使われることは、まずないと思います。

　　absolutely（まったく、完全に）はここでは不自然です。absolutely は意思決定する際に使われるので、この文では不適切になります。

　　utterly（まったく、全然、すっかり）が形容詞を修飾する際に使われることはよくありますが、動詞を修飾する際に使われることはほとんどありません。そのため、この場合は不自然です。utterly が使われる機会は減っていますが、うまく使うと知的に聞こえます。わりとネガティブな状況で使われることが多いかもしれません。

ここでは、

●●●	いちばん自然／いちばん使う
●●	自然／使える
●	自然だがさほど使わない／使えるがやや不自然
▲	やや不自然／意味は通じるが不自然
✕	使えない／不自然

の順にそれぞれの副詞を示しましたが、この文では「使えない／不自然」であっても、状況によっては自然に用いることができますから、取り上げた副詞を使った例文もすべて示しました。

Ⅲ部では「特に注意して使いたい副詞」、all, any, early, more, only, some, still, well, home, today, tomorrow, yesterday, that, this, quite, very, much について詳しく説明しました。多くは形容詞、あるいは名詞と同形ですが、用例をそれぞれご確認いただき、理解に役立てていただけますとうれしいです。

本書に出てきた副詞はすべてⅣ部「副詞総索引」にまとめました。単語帳としてもご活用ください。

なお、句動詞は動詞＋副詞で形成されるものがありますが、この句動詞に使われる副詞につきましては『ネイティブが教える句動詞の使い方』をご覧ください。

本書執筆にあたり、研究社編集部の金子靖さんに大変お世話になりました。金子さんご発案の「ネイティブが教える」シリーズは本書で9冊目となりますが、今回ほど金子さんのサポートがありがたく感じたことはありません。心より感謝いたします。

また東京理科大学准教授の北田伸一先生には今回も念入りに校正刷りを確認していただきました。優秀な言語学者である北田先生に数多くの貴重なコメントをいただき、さらに内容を充実させることができました。

英語の副詞のマスターは、ひょっとすると英語学習の最後の関門かもしれません。本書でみなさんがそこをクリアしていただけますことを願っております。

2020年6月　　　　　　　　デイビッド・セイン（David A. Thayne）

目　次

I

どんなときに
副詞を使うのがいいか？

副詞にも、さまざまなものがあります。

副詞ではなく形容詞や動詞を使ったほうが効果的な言い方ができる場合もありますし、同じ副詞でも違う意味で使われていたり、形容詞と同形で区別がむずかしいものもあります。

ここでは、

1. 形容詞や名詞を使ったほうが自然と思われる場合

2. 副詞を使って効果的に表現できる場合

3. 副詞も形容詞もどちらも自然に使われるが、意味が異なる場合

4. 形容詞と同形の副詞

5. 単純形副詞を使ったほうが自然と思われる場合

6. 単純形副詞、-ly 形の副詞のどちらも使われるが、意味が異なる場合

7. 置かれる位置などで意味が異なる場合

に分けて説明しました。

詳しく見ていきましょう。

1. 形容詞や名詞を使ったほうが自然と思われる場合

　アメリカの中学や高校の英語のライティングの授業で、なるべく副詞は使わずに、動詞や形容詞でその意味を出すほうがわかりやすいとアドバイスされることがありました。まずは、副詞よりも形容詞を使ったほうがよいと思われる例を見てみましょう。

1.　彼はテキサス州の候補者を熱心に支持している。

A:　He supports the candidate from Texas **enthusiastically**.

B:　He is an **enthusiastic** supporter of the candidate from Texas.

　Bの形容詞 enthusiastic（熱烈な、熱心な、熱狂的な）を使ったほうがずっと英語として自然ですし、日本語の意味をそのまま伝えられると思います。Aのように副詞 enthusiastically（熱烈に、熱心に、熱狂的に）を使うと、場所と状況が限られます。たとえば、ある人がテキサス州の候補者を支持しているが、どれくらい熱心であるかは enthusiastic に比べてあいまいです。

Do you think John will donate money?（ジョンは寄付するだろうか?）

に対して、

Yes, he supports the candidate from Texas **enthusiastically**.

と答えるのなら自然です。
　またこの状況では、

No, he supports the candidate from Texas, but not **enthusiastically**.

という副詞 enthusiastically を否定した言い方も、自然に聞こえます。

---

2. 彼はまっすぐに答えた。

A: He answered me **straightly**.

B: He gave me a **straight** answer.

B の形容詞を使った言い方はよく聞きますが、A の副詞 **straightly**（まっすぐに）を使った言い方は、やや不自然です。

ただし、単純形副詞（39, 45 ページ参照）の **straight**（まっすぐな）を使って、

He answered me **straight**.

と言うことはできますし、straight は次のようにも使われます。

He opened his eyes and went **straight** outside.

（彼は両目を開けて、まっすぐ外に出た。）

---

3. 母に毎週電話しています。

A: I call my mother **weekly**.

B: I call my mother **every week**.

A の I call my mother weekly. でも意味は通じますが、この言い方をすることはまれです。同様に yearly, monthly, daily も、このような構文で使われることはまずありません。B のように、every year, every month, every day といった言い方をするのが自然です。

weekly（毎週の）を使うのであれば、

This website is updated **weekly**.（このサイトは毎週更新される。）

などとなります。

> 4. 彼の質問に正直に答えました。
>
> A: I **honestly** answered his question.
>
> B: I gave him an **honest** answer.

　A の I honestly ... だけを聞くと、「『正直に』彼の質問に答えた」のか、「『実際に』彼の質問に答えた」のかはっきりしません。そのため「正直に答えた」と言いたいのであれば、B の言い方が適切です。

honestly（正直に）を使うのであれば、

Honestly speaking, his novel was boring.
（正直に言うと、彼の小説はつまらなかった）

という言い方をします。

> 5. この食べ物はいい加減に調理されたに違いない。
>
> A: This food must have been **lazily** cooked. ▲
>
> B: This food must have been made by a **lazy** cook.
>
> C: This food must not have been cooked **properly**.

　A の This food must have been lazily cooked. でも意味は通じますが、不自然です。ちょっと言い方は変わりますが、B のほうが自然ですし、by a lazy cook と不定冠詞 a を付けて表現することで、「誰かわからない人にいい加減に調理された」という感じがうまく出せます。C の **properly**（適切に）を否定文で使った言い方は、もちろん自然な言い方です。

　lazily（怠けて、もの憂げに）は、日常会話で使われることはまずありません。小説などで時々、

The tired dog walked **lazily** along the road.
（疲れた犬がだらだらと道を歩いた。）

というような言い方をします。

6.　彼女は質問に間違えて答えた。

A:　She answered the question **wrongly**.　▲

B:　She gave the **wrong** answer.

Aはどこか不自然に感じます。Bの She gave the wrong answer. のほうがずっと自然ですし、よく使います。同じように、She gave me the correct answer.（彼女は正解を出した。）という言い方もよくします。

wrongly（間違って、不適切に）を使うのであれば、

I **wrongly** assumed that the train would arrive on time.

（電車が時間通りに着くと思い込んでいた。）

という言い方をします。そして **wrong は副詞**（間違って、誤って）としても使われるのでご注意ください。これは単純形副詞です。

7.　深く穴を掘る必要がある。

A:　We need to dig **deeply**.　▲

B:　We need to dig a **deep** hole.

C:　We need a **big** hole.

Aは、「深く掘る」という行動が必要だと強調している感じがする、やや不自然な言い方です。言い方は違いますが、Bのほうが自然です。Cは「深く」ではなく、「大きな」穴ですが、状況によっては「深い」も意味します。

deeply（深く）を使うのであれば、

I breathed **deeply**.（深呼吸した。）

といった言い方をします（これも単純形副詞を使って表現できます［43ペー

ジ参照])。そして deeply は、「程度」を示す副詞として形容詞を修飾する場合によく使われます。

---

8. 彼の演技は下手だった。

A: He acted **poorly**. ▲

B: He didn't act **very well**.

C: He's a **bad** actor.

D: His performance wasn't very **good**.

A の副詞 **poorly**（乏しく、不十分に）を使った言い方は、意味がはっきりしません。B, C, あるいは言い方が違いますが、D の言い方のほうが自然です。poorly を使うのであれば、

She slept **poorly** last night and got up early today.

（彼女は昨日はよく眠れなくて、今日は普段より早く起きた。）

He did **poorly** on the exams.（彼は試験で失敗した。）

のような言い方をします。

---

9. 怖がらないで（怖気づくな）。

A: Stop acting **cowardly**. ▲

B: Don't be such a **coward**.

C: Stop acting like a **coward**.

D: Stop being a **coward**.

A は不自然で、B や C, D のように名詞を使うのが自然です。なお、**cowardly**（臆病な、卑怯な）は副詞だけでなく、形容詞としても使われます。

He's a **cowardly** liar and thief.（彼は卑怯ものの嘘つきで泥棒だ）

---

10. 気分が悪い (気持ち悪い)。

A: I feel **badly**. ×

B: I feel **bad**.

C: I don't feel **very well**.

Aは不自然です。「気持ち悪い」のか、「後悔している」のかはっきりしません。

Cは問題なく「気持ち悪い」の意味になります。Bは英語としては正しいものの、意味がはっきりしません。「気持ちが悪い」にも「後悔している」にも取れます。

副詞 **badly**（悪く、まずく、下手に）は

She speaks **badly** of others. (彼女は人を悪く言う。)

のような使い方をします。また、「程度」を示す副詞として「**大いに、ひどく**」の意味でもよく用いられます。

---

11. 彼は最後に (ついに) 決断を下した。

A: He **finally** decided what to do.

B: He **finally** made a decision.

C: He made a **final** decision.

A, B, Cはいずれも問題ありません。ですが、いちばん自然かつ一般的なのは、「最終決断を下した」の意味になるCでしょう。

at last（ついに）は、**finally**（最後に）と同じ意味で使われます。キング牧師（Martin Luther King, Jr.）の名演説 "I Have a Dream" の最後のフレーズで、実に効果的に使われています。

Free **at last**! Free **at last**! Thank God almighty, we are free at last!

（ついに自由に！　ついに自由になりました！　偉大なる神に感謝します。わたしたちはついに自由になりました！）

> 12. 彼は（レポートの）すばらしい翻訳を上げた。
>
> A: He translated the report **superbly**. ▲
>
> B: He did a **superb** translation.
>
> C: His translation was **superb**.

形容詞 superb（すばらしい、実に見事な）を使った B と C は問題ないですが、**副詞 superbly**（実に見事に）を使った A は不自然です。動詞 translate との組み合わせが悪いです。

She plays **superbly**. （彼女の演技は巧みだ。）

のような言い方であれば、自然です。

> 13. 彼女は念入りに校正してくれる。
>
> A: She proofreads **meticulously**. ▲
>
> B: She is a **meticulous** proofreader.

明らかに B の形容詞を使った言い方が自然で、A の副詞を使った言い方は不自然です。

The dealer checked the car **meticulously** for any damage.
（ディーラーはその車に何か傷がないか念入りにチェックした。）

meticulously（細心の注意を払って、几帳面に）は、まず一人称には使いませんので、注意してください。

> 14. 彼は不注意な（不注意にも）過ちを犯した。
>
> A: He mistook **inadvertently**. ▲
>
> B: He made an **inadvertent** mistake.

Bは問題ありませんが、Aは不自然です。

副詞 inadvertently（不注意にも、うっかり）は、

He **inadvertently** left his umbrella on the train.

（彼はうっかり電車に傘を置いてきてしまった。）

というような言い方をします。

---

15. みんな家に無事戻った。

A: Everyone **safely** got home.

B: Everyone got home **safe/safely**.

C: Everyone got home **all right**.

　副詞 safely（無事に、安全に）を使ったAでも意味は通じますが、Bの形容詞 safe（安全な）、あるいはここに副詞 safely を使った言い方のほうが自然です。Aの safely got home は「何か後ろめたいことをして、見つからずに家に無事に帰った」とも読み取れて、「何か裏にあるのでは」と思うネイティブもいるかもしれません。そして **home** はどちらも副詞です。これについては、126ページをご覧ください。

　ここでは言い方は変わりますが、**all right**（申し分なく、ちゃんと）という別の副詞を使ったCの言い方がいちばん自然かもしれません。

　safely（安全に、無事に、問題なく）を使うのであれば、

The plane landed **safely**.（飛行機は無事着陸した。）

という言い方をします。

2. 副詞を使って効果的に表現できる場合

では、副詞を使って効果的に表現できる例を、形容詞を使った言い方と比較して紹介しましょう。

---

1. 彼は突然有名になった。

A: He **suddenly** became famous.

B: He became famous (like a bolt) **out of the blue**.

副詞 **suddenly**（突然、急に）を使った A のほうが自然です。

He became famous **suddenly**.

も OK ですが、その場合は意味合いが異なり、「彼が有名になったのを知っているが、どうやって有名になったのかわからない」となります。たとえば、

Everyone knows her, but because she became famous **suddenly**, she isn't used to the fame.

（誰もが彼女を知っているが、突然有名になったので、それに慣れていない。）

のような言い方をします。

B はやや不自然です。**out of the blue**（突然、出し抜けに）は、何かが「（自分に、自分の前に）急に現れる」場合によく使われるからです。主に次のような状況で使われます。

Ben showed up at my wedding **out of the blue**.

（ベンが突然わたしの結婚式に現れた。）

Out of the blue, I got an email from my old girlfriend.

（突然、元カノからメールをもらった。）

---

2. 淳子はわれわれの要求に熱意をもって（情熱的に）こたえた。

A: Junko **enthusiastically** accepted our request.

B: Junko gave us an **enthusiastic** response.

---

enthusiastically と enthusiastic の使い分けについては「1. 形容詞や名詞を使ったほうが自然と思われる場合」の 1 の例文でもすでに論じていますので、そちらもご覧ください（11 ページ参照）。

ここでは、A の副詞 enthusiastically を使うほうが自然です。B も特に問題はなく、

He gave us an **enthusiastic** yes.

（彼は熱意をもってわれわれに賛同した。）

と言うこともできます。しかし、A の副詞を使った言い方のほうが自然です。

enthusiastically と enthusiastic の使い分けを、もうひとつ見てみましょう。

---

3. 彼女は新しい仕事に熱心に取り組んだ。

A: She applied herself **enthusiastically** to her new job.

B: She is **enthusiastic** about her new job.

A の副詞を使った言い方のほうが、どちらかというと自然なような気がします。B のように形容詞ですっきりまとめるより、感情のこもった言い方になります。

energetically も「熱心に、精力的に」の意味で使われます。

He has been working **energetically** for this company for more than 30 years. （彼は 30 年以上会社のために精力的に働いている。）

4.　彼女は（疑いなく）会社でいちばん弁が立つ（話がうまい）。

A:　She is **undoubtedly** the best speaker in the company.

B:　I'm **sure** she's the best speaker in the company.

　どちらも問題ないですが、A の **undoubtedly**（疑いなく）のほうが客観的に表現できています。B の **sure**（確かに）を使った **I'm sure …** の言い方ですと、「自分の意見」である感じが強く表現されます。彼女が弁が立つとほんとうに思うのであれば、A を使うのが自然です。

　「疑いなく」であれば、**assuredly**（確かに、確実に）や **for sure**（確かに）などの副詞を使って、

She is, **assuredly**, the best speaker in the company.

とか、

She is **for sure** the best speaker in the company.

と言うこともできます。

5.　あなたのおかげで、（すべて）うまくいった。

A:　Thanks to you, everything **went well**.

B:　Thanks to you, it was a **success**.

　A は自然な言い方です。動詞 go と副詞 well（うまく、よく）を使った言い方は、ある程度の「時間の流れ」を感じさせます。たとえば、3 年ほどのプロセスがあったあとにこう言うのが自然かもしれません。また B の it was a success でも意味は通じます。ただし、1 日か 1 時間で出た結果に対して使うような感じがするでしょう。

　go well を使った例文をもうひとつ。

We strongly hope everything **goes well** when this difficult period ends.（このむずかしい時期が終わったあと、すべてがうまくいくことを強く願っている。）

---

6. 普段は朝コーヒーを飲みますが、今日はお茶をいただきました。

A: I **usually** have a cup of coffee in the morning, but today I had tea.

B: It's **usual** for me to have a cup of coffee in the morning, but today I had tea.

A の副詞 **usually**（普通は、いつもは）を使った言い方のほうが、自然です。B は文法的に正しい言い方ですが、不自然と感じるネイティブが多いでしょう。

「普段は」は、**habitually**（いつものとおり、習慣的に）や **customarily**（習慣的に）でも表現できます。habitually は、悪い習慣に対して使うことが多いです。

She **habitually** gets angry when people don't do everything she asks them to do.（彼女は自分が言った通りに人にしてもらえないとよく怒る。）

We do not **customarily** exhibit our emotions.
（わたしたちは自分の感情を表に出さないのが慣例だ。）

---

7. 驚くべきことに、この人工知能に関する本は人間ではなく、コンピューターによって書かれた。

A: **Surprisingly**, the article about AI was written by a computer and not a human.

B: It is **surprising** that the article about AI was written by a computer and not a human.

文頭に副詞を持ってくると、それにつづく内容に対して「何であるか？」と期待を持たせることができます。A がまさしくそうで、日本語で言えば「驚くなかれ」という感じに近いでしょう。B の形容詞 surprising でも問題ないですが、A の **surprisingly**（驚いたことには）ほどの「驚き」は表現できません。**regrettably**（残念なことに）なども文頭に用いることができます。

Regrettably, the client decided to give the job to one of our competitors.

（残念なことに、この顧客はライバル社のひとつに仕事を依頼した。）

　置かれる位置によって意味が変わる副詞については、7「ともに副詞だが、置かれる位置などによって意味が異なるもの」（51 ページ）をご覧ください。

8.　ハチ公は飼い主が戻るまで 9 年間待ちつづけた。

A:　Hachiko waited **patiently** for nine years for his owner to return.

B:　Hachiko was **patient** as he waited nine years for his owner to return.

　どちらも言えますが、副詞 **patiently**（我慢強く、根気強く）を使った A が自然です。B の形容詞 **patient** を使った言い方は回りくどく感じます。
enduringly（永久的に、いつまでも）も同じ意味で使われます。

She sat and waited **enduringly** for her son's return.

（彼女は息子が戻るのを辛抱強くずっと座って待っていた。）

　ただし enduringly は小説などで使われるものの、文語的表現のため日常会話ではまず使わないでしょう。

9.　法は明らかに破られた。

A:　The law was **obviously** broken.

B:　It is **obvious** that the law was broken.

　A の副詞 **obviously**（明らかに、明白に）を使った言い方がより口語的で、そして少し感情的なニュアンスも読み取れます。B の形容詞 **obvious** を使った **It is obvious that ...** の仮主語構文も自然ですが、こちらは書くときに主に使われるようです。

obviously を使った用例を、もうひとつ。こちらも文頭で使われます。

Obviously, he is telling a lie. (明らかに彼は嘘をついている。)

---

10. 明らかに彼は辞職する (彼が辞職するのは間違いない)。
A: **Clearly**, he'll resign.
B: It is **clear** that he'll resign.

これも文頭に副詞が置かれる用法です。**clearly**（はっきりと、明瞭に）を使った A も、**clear**（はっきりと）を使った B も自然な言い方です。「明らかに」を意味する副詞として、**noticeably**（目立って、著しく）もよく使われます。

Noticeably, he is trembling with fear. (明らかに彼は恐怖で震えていた。)

clearly, clear, noticeably は 47, 87-91 ページでも詳しく説明しています。ご覧ください。

---

11. 社長は定年退職の年齢を 65 歳に設定することにした。
A: The president decided that employees should be retired **mandatorily** at the age of 65.
B: The president decided to set the **mandatory** retirement age at 65.

---

mandatorily（強制的に、必須に）を使った A の言い方も **mandatory**（強制的な、必須の）を使った B の言い方も、どちらも問題ありません。もうひとつ用例を上げます。

Newly hired employees **mandatorily** attend Friday's orientation.
（新規採用者は金曜日のオリエンテーションに参加しなければならない。）

12.　午前中がいちばん働ける。

A:　I work **best** in the morning.

B:　Morning is the **best** time for me to work.

Aの **best**（もっともよく）は副詞で、Bの best は形容詞です。どちらも自然な言い方です。

had best do...（…するのがよい），**had better do...**（…したほうがよい [身のためだ]、…するべきだ、…しなさい）の言い方も覚えておきましょう。

You'd **best** do it right now.（今すぐそれをするのがよい。）
You'd **better** go.（行ったほうがよい。）

you had better は you'd better, あるいは you better と言うこともあります。かなり強く強制する言い方です。この **better**（もっとよく）は副詞です。

13.　まったくその通りだ。

A:　You can say that **again**.

B:　You're quite **right**.

Aの **again**（ふたたび）は副詞、Bの **right** は形容詞です。どちらも自然な言い方です。同じ意味の言い方として、**(It's) just as you say.** があります。(It's) just as you say. の just も副詞です。

14.　彼は志願して外国支社に移った。

A:　He **voluntarily** relocated to a foreign branch.

B:　He **volunteered** to relocate to a foreign branch.

Aの副詞を使った言い方も、Bの動詞を使った言い方も文法的に正しく、どちらも自然な言い方です。

voluntarily（自発的に）を使った用例をもうひとつ。

Bernie and his followers made the decision **voluntarily** and democratically.

（バーニーと支援者は自主的かつ民主的に決定した。）

voluntarily と **democratically**（公平に）はどちらも副詞ですし、ともに -ly で韻を踏んでいるので、とてもインパクトのある言い方になります。

15.　彼女の言ったことをまじめにとってはいけない。

A:　Don't take what she said **seriously**.

B:　Don't be so **serious** about what she said.

A の副詞 **seriously**（まじめに、真剣に）を使ったほうが自然ですし、端的な言い方になります。

Seriously speaking, ... は、ちょっと話題を変えて、まじめな（深刻な）ことを言うときに使われます。日本語の「まじめな話」に近いかもしれません。

Seriously speaking, you should talk to a lawyer about this.

（まじめな話、この件は弁護士に話したほうがいい。）

seriously については 109-110 ページもご覧ください。

16.　彼はヨーロッパを安く旅行した。

A:　He traveled **cheaply** around Europe.

B:　He went on a **cheap** trip around Europe.

C:　He **backpacked** around Europe.

A の He traveled cheaply around Europe. が、ネイティブが一般的に使う自然な言い方です。B の He went on a cheap trip around Europe. は「安く行けた」ことと、「ヨーロッパ」に旅行したことが同じくらいの意味をもって伝えられますが、さほど使う言い方ではありません。C の He **backpacked** around Europe. は、彼がヨーロッパを旅行したことがわかっているうえで、彼がどのようにして（どのくらいのお金や手段で）旅行したかを説明している感じがうかがえます。

3. 副詞も形容詞もどちらも自然に使われるが、意味が異なる場合

　副詞を使った言い方も、形容詞を使った言い方も自然に聞こえるのですが、意味が違う場合がもあります。いくつか見ていきましょう。

---

1. 彼女はフランス語を流暢にしゃべる。
A: She speaks French **fluently**.
B: She speaks **fluent** French.
C: She's a **fluent** French speaker.

　どれも自然ですが、形容詞 **fluent**（流暢な）を使った B は、主に彼女がフランス語を話せるとは知らなかったときに使われるようです。副詞 **fluently**（流暢に、すらすらと）を使った A は、はっきり知っているとは明言しないものの、知っていると思わせます。

Do you think she can translate for us?（彼女は通訳してくれるかな?）

に対して、

B: Yes, she speaks **fluent** French.

あるいは、

C: Yes, she's a **fluent** French speaker.

でも OK ですが、この状況では、

A: Yes, she speaks French **fluently**.

がいちばんふさわしいでしょう。

---

2. あなたの運転はあぶない。
A: You drive **recklessly**.
B: You're a **reckless** driver.

副詞 **recklessly**（無謀に、向こう見ずに）と形容詞 **reckless**（無謀な、向こう見ずな）はどちらもよく使います。A の You drive recklessly. は運転の仕方だけを指摘しているのに対して、B は批判的な言い方にしか聞こえないうえに、性格まで批判されている感じを受けます。A のように批判されるほうが、まだ救いがあるでしょう。

You're driving **recklessly**. と現在進行形にすると、目の前で進行していることに対する批判になるため「（そんなふうに無謀な運転をするのは）やめなさい」と注意するニュアンスになります。

---

3. 彼女の踊りは美しい。
A: She dances **beautifully**.
B: She's a **beautiful** dancer.

副詞 **beautifully**（美しく），形容詞 **beautiful**（美しい）のどちらもよく使います。

A は踊りにポイントを絞って言っています。この言い方は「ほめておきながら、加えて何か批判する」時によく使われる言い方です。たとえば、

She dances **beautifully**, but she has a bad personality.
（彼女は踊りは美しいが、性格は悪い。）

のような言い方をします。

一方、B は「彼女は全体的に美しい」というイメージになります。

> 4. 彼女は頭の回転が速い。
> A: She can think **quickly**.
> B: She's a **quick** thinker.

どちらもよく使います。Aの**副詞 quickly**（速く、急いで）を使った言い方は批判する場合に多く使いますが、そのあとにつづけて、

She can think **quickly**, but most of the time she doesn't.
（彼女は頭の回転は速いですが、普段はそうでもありません。）

のような言い方をよくします。

Bの She's a quick thinker. はその人の本質を言っているように聞こえるので、Aのような批判の意味は感じられません。

> 5. 試験が終わる前に急いで答えを書き込んだ。／試験が終わる前に短い答えを書いた。
> A: I **quickly** finished writing my answer before the exam ended.
> B: I wrote a **quick** answer before the exam ended.

quickly と quick の例をもうひとつ。

Aの副詞 quickly を使った言い方は「試験が終わる前に急いで答えを書き込んだ」、Bの形容詞 quick を使った言い方は「試験が終わる前に短い［即席の］答えを書いた」という意味になります。

quickly の類語に **swiftly**（すばやく）や **immediately**（すぐに）があります。swiftly は長い動作よりも、短いさっと動くイメージです。

Luke **swiftly** caught the fly in his hand.
（ルークはさっとハエをつかみ取った。）

Please respond **immediately** after you hear the beep.
（ビープ音を聞いたらすぐに答えてください。）

6. 店員は私たちを怒ってにらみつけた。／店員は私たちには怒っているように見えた。
A: The clerk looked **angrily** at us.
B: The clerk looked **angry** to us.

Bは「私たちには怒っているように見えた」という意味で、Aは「店員が私たちに怒った目線を送った」→「店員は私たちに怒りの視線を示した」→「店員は私たちを怒ってにらみつけた」という意味になります。

副詞 angrily（怒って）を使った例をもうひとつあげます。

Some Internet users reacted **angrily** to the politician's remark.
（ネットユーザーのなかにはその政治家の発言に怒りを示した者もいる。）

7. 夕食会はうまくいかなった。／夕食が腐ってしまった。
A: The dinner went **badly**.
B: The dinner went **bad**.

Aの**副詞 badly**を使った言い方は「うまくいかなかった」、Bの**形容詞**を使った言い方は「**夕食が腐ってしまった**」の意味になります。

Bの bad は形容詞で、**go bad** で「**（食物が）悪くなる、腐る**」の意味で使われます。

This fish has **gone bad**.（この魚は腐っている。）

8. 物事が悪い方向に行ったら［うまくいかなかったら／ひどいことになったら］、手伝う。
A: When things go **badly**, I'll try to help you.
B: When things go **bad**, I'll try to help you.

もうひとつ、副詞 badly と形容詞 bad の比較をします。どちらも自然な英

語ですが、A の go badly は「悪い方向に」であるのに対し、B の go bad は「ひどい状態に」と、ニュアンスがちょっと違います。

badly を使った用例をもうひとつあげます。

Everything turned out **badly** for the concert planners.
（コンサート企画者たちにはまずい状況になった。）

---

9. 彼は口が達者で、会議でも説得力を発揮する。／彼は会議で口八丁に人を言いくるめる。

A: He talks **smoothly** and is easy to understand during meetings.

B: He's a **smooth** talker during meetings.

A の副詞 **smoothly** を使った言い方は、「**口が達者で、会議でも説得力を発揮する**」という意味で用いられますが、B の形容詞 **smooth** を使った言い方は「**口のうまい人**」「**人を騙す人**」と、悪い意味で使われます。

イギリスのソウル・シンガー、シャデー（Sade）の 1984 年のヒット曲に "Smooth Operator" がありますが、これは「要領がよい人」や「口がうまい」で、褒め言葉ではありません。シャデーの曲も恋愛に長けた男性のことをうたっています。

---

10. ジョージは静かに自転車を降りた。／ジョージは静かになった。

A: George fell off bike **silently**.

B: George fell **silent**.

A の fell off ... silently は「静かに…を降りた」、B の fell silent は「静かになった」の意味になります。どちらも自然な言い方です。

silently（黙って、無言で、音を立てずに、静かに）を使った用例を、もうひとつ。

Tom and Huck crept **silently** out of the cave.

（トムとハックはその洞窟から静かに這い出した。）

---

11. スティーヴンは温度計を厳密に設定した。／スティーヴンは熱があったが、
今は元気だ

A: Steven **finely** adjusted the temperature gauge.

B: Steven had a temperature, but now he's feeling **fine**.

A は副詞 **finely**（細かく、見事に）を使って**「厳密に調整する」**、B は形容詞 **fine**（見事な、けっこうな）で**「気分がいい」**の意味になります。

finely は「見事に、美しく」の意味でも使われます。

This artisan's **finely** detailed work is impossible to recreate using machines.（この職人は機械ができない繊細な仕事を手掛ける。）

4. 形容詞と同形の副詞

　副詞の中には、形容詞と同形のものがあります。文脈、状況から、どちらの品詞かを判断することになります。

　また、このような副詞の多くは「単純形副詞」（flat adverb）と呼ばれるものです。こちらについては「5. 単純形副詞を使ったほうが自然と思われる場合」「6. 単純形副詞、-ly 形の副詞のどちらも使われるが、意味が異なる場合」で詳しく説明していますので、そちらをご覧ください。

　ここでは、形容詞と同形の副詞の使い方を見ていきましょう。

1

A:　We want a **clean** election. [形容詞]

　　公明正大な選挙を求める。

B:　It looks like she **clean** forgot to invite me to her party. [副詞]

　　彼女はわたしをパーティに呼ぶのをすっかり忘れたようだ。

　B の副詞 **clean** は「すっかり、きれいに」の意味で使われます。

　cleanly（42 ページ）という副詞もあるので、注意しましょう。

2

A:　They publish a **daily** newspaper. [形容詞]

　　あの会社は日刊新聞を刊行している。

B:　You need to report **daily** to the client on your progress. [副詞]

　　進行状況をクライアントに毎日報告する必要がある。

　B の副詞 **daily** は「毎日」。

3.

A: Tony is **dead** and buried. [形容詞]

トニーは亡くなって葬られた。

B: I'm **dead** tired. [副詞]

くたくただ。

Bの **dead** は副詞で「まったく、完全に」。

4.

A: He gave me a **direct** answer. [形容詞]

彼は正面から答えた。

B: Please answer me **direct**. [副詞]

直接的に答えてください。

Bの副詞 **direct** は「まっすぐに、直接的に」。

This flight goes **direct** to Osaka.（これは大阪直行便です。）

のようにも使われます。**directly**（直接に、じかに）という副詞もありますのでご注意ください（47-48 ページ参照）。

5

A: How **high** is the Tokyo Sky Tree? [形容詞]

東京スカイツリーの高さは？

B: I saw a transport flying **high** up in the sky. [副詞]

輸送機が空高く飛んでいるのが見えた。

Bの **high** は副詞で「高く」。「贅沢に」の意味でも使われます。

He has been living **high** since he was young.

（彼は若い頃から贅沢に暮らしている。）

6.

A: **Easy** to say, hard to do. [形容詞]

言うは易く行うは難し。

B: Take it **easy**, Glenn. [副詞]

気楽にやってね、グレン。

B の **easy** は副詞で「たやすく」「気楽に」。

7

A: Mr. Fujii built a **fine** house in the suburbs. [形容詞]

藤井さんは市郊外にきれいな家を建てた。

B: My mom is doing **fine**. [副詞]

母は元気でやっている。

B の副詞 **fine** は「立派に、うまく」。

8

A: My daughter has a **free** ticket for the amusement park. [形容詞]

娘はそのアミューズメント・パークの無料入場券を持っている。

B: All staff members are admitted **free**. [副詞]

スタッフは全員、無料で入れる。

B の副詞 **free** は「無料で」「自由に」。

9.

A: It's **hard** for me to talk with Steve now. [形容詞]

今スティーブと話すのはむずかしい。

B: The team worked very **hard** to complete this mission. [副詞]

チームはこのミッションを完遂するためにとても一生懸命働いた。

---

hard は副詞で「一生懸命に」。

hardly は 80-81 ページ参照。

10

A:　She gave me a **kindly** smile. [形容詞]

　　彼女はぼくにやさしくほほ笑んでくれた。

B:　She **kindly** spoke to me. [副詞]

　　彼女はぼくにやさしく話しかけた。

B の副詞 **kindly** は「やさしく」。

11

A:　Look, little Anna is very **pretty**. [形容詞]

　　まあ、アンナちゃんはとってもかわいい。

B:　I got a **pretty** hard question to answer. [副詞]

　　かなり答えるのにむずかしい質問をもらった。

B の **pretty** は副詞で「かなり、なかなか」。この副詞は 66-67 ページもご参照ください。

12

A:　This is the **real** reason he became ill. [形容詞]

　　これが彼が病気になった本当の理由だ。

B:　It was **real** nice to hear you are okay in such a difficult situation. [副詞]

　　このむずかしい状況できみが元気だと聞いて、とてもうれしい。

B の **real** は副詞で「本当に、とても」。

13

A:　You were quite **right** to accuse him. [形容詞]

　　彼を告発したのはまったく正しい。

B:　You did **right** to accuse him. [副詞]

　　彼を告発したのはまったく正しい。

B の副詞 **right** は「正しく」。

rightly という副詞もあるので、41-42,47 ページをご確認ください。

14

A:　A sound mind in a **sound** body. [形容詞]

　　健全な身体に健全な精神が宿る。

B:　The baby fell **sound** asleep. [副詞]

　　赤ん坊はぐっすり眠った。

B の副詞 **sound** は「眠りが深く、ぐっすり」。

5. 単純形副詞を使ったほうが自然と 思われる場合

-ly のつかない副詞もあり、それらは単純形副詞 (flat adverb) と呼ばれます。語によっては -ly のつく副詞が存在するにも関わらず、-ly のつかない形が使われることもあります。

こうした語を形容詞と考えるネイティブも多いですが、実際は副詞として使われていますし、辞書には副詞として定義されています。

これからこうした単純形副詞について、実例とともに見ていきましょう。ここでは、単純形副詞を使ったほうが、概して自然と思われるものを紹介します。

1.　スマートに考えよう。

A.　Think **smart**.

B.　Think **smartly**. ▲

A の **smart** を形容詞であると見るネイティブも少なからずいますが、これは副詞です。辞書にも「**懸命に、賢く**」と定義されています。

そして B も文法的には正しいですが、ほとんどのネイティブは A が自然だと感じるでしょう。B は文法にこだわる人の言い方に聞こえてしまい、どこか不自然です。

2.　違う考え方をしよう。

A:　Think **different**.

B:　Think **differently**.　▲

---

different も副詞として「**…と異なって、異なるように**」の意味で使われるので、今は A のほうがなじまれているように思います。実際こちらは、1997 年のアップルコンピュータの広告キャンペーンのスローガンとして使われました。

smart / smartly の関係と同じで、B は文法にこだわる人の言い方に聞こえてしまい、どこか不自然です。

同様に、

3.　ポジティブに考えよう。

A:　Think **positive**.

B.　Think **positively**. ▲

これも B の **positively**（まったく、本当に）ではなく、A の **positive**（ポジティブに、前向きに）を使った言い方のほうが、自然に感じるネイティブが多いはずです。B はネイティブでもうっかり使ってしまう人がいるかもしれませんが、1 の Think smartly., 2 の Think differently. と同じく英語としてやや不自然です。

そしてこの例文 1, 2, 3 の think や例文 5 の drive などは、SVOC の O に it がありますが、それが省略されていると考えることもできると思います。**think fit [good, proper] to do ...**（…するのを適当に思う）が、もともと **think it fit [good, proper] to do ...** であったものから it が省略された形と思われるのと同じです。

4.　ゆっくり行こうぜ。

A.　Go **slow**.

B.　Go **slowly**.

A の **slow**（ゆっくりと）も副詞で、辞書にはそのように定義されています。本書執筆にあたって数多くの英和辞典をチェックしましたが、なかでも研究社の『ライトハウス英和辞典』と『コンパスローズ英和辞典』にはお世話になりました。『ライトハウス英和辞典』はすべての副詞に語義が付されているので、助かりました。

この副詞 slow についても「感嘆文で how とともに文頭にくるとき以外は、slow は slowly と違って常に動詞の後にくる」という大変ありがたい情報も掲

載されています。

　ここでは、A も B も問題なく自然に使えます。

5.　　確実にゆっくり運転しよう。

A:　Make sure you drive **slow**.

B:　Make sure you drive **slowly**.

　これも『ライトハウス英和辞典』の説明を証明するように、副詞 slow は動詞 drive のうしろに置かれています。そしてわたしの文書作成ソフトの Word では slow に二重線が示されて、An adverb works better here. とご親切に提案してくれますが、「ワードくん、この slow は形容詞ではなくて、副詞だよ。『ライトハウス』を引きなさい」と教えてあげないといけないですね。

　5 に関しては、A も B も問題なく使われます。

6.　　彼は今日はおかしな振る舞いをしている (挙動不審だ)。

A:　He's acting **strange** today.

B:　He's acting **strangely** today. ▲

---

　strange も **strangely** もここではどちらも副詞ですが (ともに「奇妙にも、不思議にも」の意味)、単純形副詞の strange を使った言い方のほうがずっと自然です。

　ここもまさに単純形副詞の特徴がよく出ています。B の副詞を使った言い方は、文法的に正しいかもしれませんが不自然に感じ、A の単純形副詞を使った言い方のほうが自然と感じるネイティブが多いでしょう。

7.　　彼女に真実を伝えたのは正しいことだ。

A:　You did **right** by telling her the truth.

B:　You did **rightly** by telling her the truth. ▲

---

　right も **rightly** も副詞 (ともに「正しく、正当に」) でどちらも文法的にも

問題ありませんが、B の do rightly という言い方は不自然です。

　ネイティブなら、代わりに You did the right thing by telling her the truth. という言い方をするでしょう。

8. 　急いで！　火事だ！

A:　Come **quick**! There's a fire!

B:　Come **quickly**! There's a fire!

　この場合は **quick** も **quickly** も副詞（ともに「急いで、速く、すばやく」の意味）でどちらも自然ですが、A の Come quick! のほうがより会話らしく聞こえます。Come quickly! はこの状況では堅苦しく感じるので、ここでは Come quick! のほうが自然です。

　quickly は 30, 111 ページもご覧ください。

9. 　髭をきれいに剃ってきて。

A:　Come **clean** shaven/shaved.

B:　Come **cleanly** shaven/shaved.

---

clean も **cleanly** も副詞です（ともに「きれいに、清潔に」）。

　どちらも問題ありませんが、単純形副詞を使った A の clean shaven のほうがよく用いられると思います。男性の顔を一瞬でイメージできます。

10. 　家にいると落ち着く。

A:　I feel **right** at home.

B:　I feel **rightly** at home. ▲

　A は自然ですし、問題なく意味が伝わります。feel right at home で、「すごく家で落ち着いている」イメージが表現できます。A の**副詞 right** は「のぞみ通りに、都合よく」という意味ですが、B はまず使わないですし、意味がはっきりしません。

rightly は「正しく」の意味合いが強く、As you **rightly** said, Plan B is the best.（ご指摘のとおり［正しくおっしゃるとおり］、プラン B が最良です。）といった言い方で使われます。

---

11. うちの猫の目は暗闇で輝く。

A: My cat's eyes shine **bright** in the dark.

B: My cat's eyes shine **brightly** in the dark.

---

bright も **brightly** も副詞（ともに「輝いて、明るく」の意味）でどちらもよく使いますし、この場合はどちらも自然です。しいて違いをあげれば、単純形副詞 bright を使った A は「うちの猫の目は暗闇で輝くようになっている」と猫の性質について言っている印象があるのに対し、brightly を使った B は「猫の目が暗闇で輝いている」という状況を言っているように思えます。

　そして『ライトハウス英和辞典』には、bright について「主に shine, burn とともに用いる」というありがたい情報も記されています。

bright と **brightly** は 90-92 ページもご覧ください。

---

12. レスキュー・ロボットは深く海に潜っていった。

A: A rescue robot went **deep** into the sea.

B: A rescue robot went **deeply** into the sea. ▲

単純形副詞 **deep**（深く、奥深く）を使った A は自然ですが、deeply（深く、ひどく）を使った B はまずしない言い方です。

　48-49 ページの breath deep と breath deeply の違いもご確認ください。

---

13. 愛子は速く走って1等賞を取った。

A: Aiko ran **fast** and won the race.

B: Aiko ran **fastly** and won the race. ▲

単純形副詞の **fast**（速く）を使った A は自然ですが、B は不自然です。**fastly**

（しっかりと）は単語として存在しますが、最近はまず使われないでしょう。

---

14. 会議できっぱりと（にべもなく）拒絶された。

A: We were turned down **flat** in the meeting.

B: We were **flatly** turned down in the meeting.

　ＡもＢも自然に聞こえます。単純形副詞 **flat**（きっぱりと、まったく、すっかり）を使ったＡは「断られたことを残念に思っている」感じがうかがえるのに対し、**flatly**（きっぱりと、にべもなく）を使ったＢは「はっきり断られた」と「度合い」を伝えているイメージがあります。

　flat はいろいろな意味で使われます。96-97 ページをご覧ください。

---

15. 彼女は急ハンドルを切って道から外れた。

A: She turned **sharp** and drove off the road.

B: She turned **sharply** and drove off the road.

---

　sharp（急に、すばやく）, **sharply**（急に、突然）、どちらもよく使いますが、この状況であれば、Ｂの turn sharply が自然かもしれません。turn sharply は、その１回だけの行為に対して使われるイメージがあります。よって、「常習的に、常に」急ハンドルを切るのであれば、She always turns sharp. のほうがしっくり感じるネイティブが多いでしょう。

　sharp も **sharply** もさまざまな意味で使われます。90-91, 102-103 ページもご覧ください。

---

16. やさしく愛して。

A: Love me **tender**.

B: Love me **tenderly**. ▲

---

　tender も副詞として「やさしく、そっと」の意味で使われます。

　この副詞の使い方は、エルヴィス・プレスリー（Elvis Presley）が流行ら

せたと言えるかもしれません。プレスリーの 1956 年のヒット曲のタイトルは
ずばり、

Love Me **Tender**（やさしく愛して）

でした。tender には tenderly という副詞もありますが、単純形副詞 tender
を使ってこのように表現するほうが圧倒的に自然ですし、クールです。

単純形副詞について

　本書では単純形副詞（flat adverb）について説明していますが、
たとえば Love Me Tender の tender は辞書や文法書によっては単
純形副詞ではなく、「形容詞が副詞的に使われている」としているも
のもあります。

　Think different. の different も、Think positive. の positive も、
同じことが言えます。

　言うまでもなく、これについてはネイティブのあいだでも意見が
一致することはありません。

　といいますか、Love Me Tender の Tender が副詞か形容詞か、
Think different. の different が副詞か形容詞か考える人は、ほとん
どいないでしょう。

　大切なのは、品詞がどうであれ、英語として自然な言い方をする
ということになると思います。

　本書もこの視点からみなさんにアドバイスしています。

6. 単純形副詞、-ly 形の副詞のどちらも 使われるが、意味が異なる場合

　5「単純形副詞を使ったほうが自然と思われる場合」で見たように、副詞には -ly のつく典型的なものと単純形副詞と呼ばれるものがあります。5 では単純形副詞を使ったほうが自然と思われる言い方を紹介しましたが、ここでは「単純形副詞も -ly のつく副詞も問題なく使わるが、意味が異なる」というものを見ていきましょう。

　中にはそれぞれ意味が大きく異なるものもありますので、注意が必要です。

1.　（この頃は）遅くまで働いている。／最近はかなり働いている。

A:　I've been working **late**.

B:　I've been working hard **lately**.

　A の late, B の lately ともに副詞ですが、意味がまったく違います。**late** は「[時間に] 遅れて、間に合わないで」、**lately** は「**最近、近頃**」の意味になります。

　late は単純形副詞です（39, 45 ページ参照）。

　A は「（この頃は）遅くまで働いている」となり、B は「最近は（かなり）働いている」という意味になります。

　B の I've been working hard **lately**. の lately は、**recently** でも言い換えられます。

2.　ページの上にお名前をはっきり書いてください。／ページのずっと上の方にお名前を書いてください。

A:　Please write your name **clearly** at the top of the page.

B:　Please write your name **clear** at the top of the page.

この場合、A の副詞 **clearly** は「はっきりと」ですが、B の副詞 **clear** は「まったく、すっかり」の意味です（clear は単純形副詞です）。以下の用例もご覧ください。

Let's hang this photo **clear** at the top of the wall.
（壁のいちばん上あたり［天井近く］に写真をかけよう。）

3.	その道に近づくな。
A:	Don't walk **close** to the road.
B:	Don't walk **closely** to the road.

A の Don't walk close to the road. は Don't walk close to the fire.（火に近づくな）と同じで、「その道まで近づいていってはいけない」の意味にも取れます。**副詞 close** はこの場合、「（場所や位置が）すぐ近くに、そばに」です。

同様に B の Don't walk closely to the road. の**副詞 closely** もこの場合「接近して、ぴったりと」という意味になり、ほぼ同じ意味合いになります。

4.	彼女は彼の目をまっすぐに見た。／彼女は彼の目を公正に見つめた。
A:	She looked at him **right** in the eye.
B:	She looked at him **rightly** in the eye.　▲

A は She looked at him directly in the eye. と同じ意味です。B の rightly を使った言い方は、あまり使われない言い方になります。

A の副詞 **right** はこの場合「まっすぐに、まともに」、B の **rightly** は「正しく、正当に」の意味になります。

right は単純形副詞です。

5.	靴は工場から直送される。／靴は工場から直接出荷される。
A:	These shoes are shipped **direct** from the factory.
B:	These shoes are shipped **directly** from the factory.

direct も directly も、この場合は副詞です。**direct** は「まっすぐに、直行して、直接に」、**directly** は「直接に、じかに」というイメージです。どちらも自然に聞こえますし、大きな違いはないようです。

しいて言えば、A の direct from the factory のほうが専門用語のような感じがするので、日本語に訳すのであれば「直送」とするのがいいでしょうし、B の directly from the factory は普通に「工場から直接出荷される」でよいと思います。

direct from the factory は、実際には商品がほかの部署や業者にまわされる可能性もありますが、少なくとも中間業者を飛ばして直送されるイメージです。一方 directly from the factory は、そうしてほかの部署や場所にまわされることなく、物理的に工場から手元に送られてくるイメージになります。

たとえば、Those books are shipped direct from the publisher to the readers.（それらの本は出版社から読者に直接送られる）とすれば、出版社のなかで営業部や配送係、あるいは出版社が所有する倉庫などから届けられるかもしれませんが、外部の問屋や取次を通すことがないニュアンスになります。

direct は単純形副詞です。

6.　彼は深呼吸した。

A:　He breathed **deep**.

B:　He breathed **deeply**.

---

deep, deeply（ともに「深く」）は、どちらも副詞としてよく使いますが、この場合はニュアンスがちょっと異なります。breathed deep は 1 回深く呼吸するイメージですが、breathed deeply は深呼吸を繰り返している感じがします。

次の用例を見てみましょう。

He breathed **deep** and jumped into the water.

（彼は一度大きく息を吸い込んで、水に飛び込んだ。）

He breathed **deeply** as he climbed the mountain.

（彼は山を登りながら、何度も深く息をついた。）

deep は単純形副詞です。

以下、**loud**（大きな声で、大きな音で）と **loudly**（声高く、大声で）の違いを原級、比較級、最上級の例文で考えてみましょう。

基本的に loud はくだけた言い方として、loudly は改まった言い方として用いられます。

7.　　［原級］誰も聞こえません。大きな声で話してください。

Informal: No one can hear you. Please speak **loud**.（くだけた言い方）

Formal: No one can hear you. Please speak **loudly**.（改まった言い方）

8.　　［比較級］誰も聞こえません。もっと大きな声で話してください。

Informal: No one can hear you. Please speak **louder.**（くだけた言い方）

Formal: No one can hear you. Please speak more **loudly**.

（改まった言い方）

9.　　［最上級］誰も聞こえません。最大限大きな声で話してください。

Informal: No one can hear you. Please speak your **loudest**.

（くだけた言い方）

Formal: Please speak most **loudly** so everyone can hear you.

（改まった言い方）

---

9 の Please speak most loudly. はアメリカ英語ではまず使わせませんが、イギリス英語ではごくまれに使われます。

ここからは明らかに意味が大きく異なる副詞の組み合わせをご紹介します。

10. 鷲は高く舞い上がった。／彼はあなたのことをよく言っている。

A: The eagle is flying **high**.

B: He speaks **highly** of you.

high は「高く」ですが、**highly** は「非常に、高度に、大いに」です。
highly の例をもうひとつあげましょう。

Avengers Endgame is a **highly** entertaining movie.

（『アベンジャーズ／エンドゲーム』はとても面白い映画だ。）

11. 壁のそばを離れないで。／わたしは危うくプールで溺れそうになった。

A: Keep **near** to the wall.

B: I **nearly** drowned in the pool.

near は「近くに」、**nearly** は「ほとんど、もう少しで」。
nearly の用例をもうひとつ。

I am **nearly** 50. （もうすぐ50歳です。）

12. 目を大きく開けてください。／その本は長年広く読まれている。

A: Open your eyes **wide**.

B: The book has **widely** been read for many years.

wide は「広く、大きく開いて」、**widely** は「広く、広範囲に」。どちらも
もうひとつずつ例を挙げます。

Someone left the window **wide** open.

（誰かが窓を大きく開けたままにした。）

Their way of thinking is **widely** different from each other.

（彼らの意見はたがいに大きく異なっている。）

7. 置かれる位置などで意味が異なる場合

　副詞の便利なことのひとつに、文頭、文末、主語と動詞のあいだ、to 不定詞のあいだなど、いろいろなところに置くことができる点があります。

　位置によって微妙に意味が変わりますし、ネイティブは意識的に使い分けることもあります。

　ここではその例を見ていきましょう。

1.　サリーは悲しい顔をして店にワンピースを戻しにいった。／残念なことに、サリーはワンピースを店に戻しにいった。

A:　Sally **sadly** returned the dress to the store.

B:　**Sadly**, Sally returned the dress to the store.

　副詞は文頭でカンマを伴って使われることがありますが、その場合は文中に使われるのと意味が異なります。

　副詞 sadly は「悲しそうに、悲しんで」という意味ですが、上の A, B ともに、「サリーは悲しい顔をして店にワンピースを戻しにいった」、あるいは「残念なことに、サリーはワンピースを店に戻しにいった」のどちらの意味にも取れます。

　多くのネイティブは、A が「悲しい顔をして…」で、B が「残念なことに…」の意味で使われていると感じるでしょう。

　明確に伝えるなら、

Sally returned the dress to the store with a **sad** face.

Unfortunately, Sally returned the dress to the store.

という言い方をするのがいいでしょう。

---

2. このプロジェクトを明日からはじめる。／（今日からではなく）明日からこの
  プロジェクトをはじめる。

A: I'll start this project **tomorrow**.

B: **Tomorrow**, I'll start this project.

---

today, tomorrow, yesterday といった語も、副詞として使われるので注意してください。

副詞は基本的にほとんど、どの位置でも使われますが、この状況では A のように文末に置くのが自然です。

B のように文頭に置くと、tomorrow が強調されて、「（今日ではなく）明日からはじめる」というイメージになります。そのため、多くのネイティブは「何が明日からはじまる？」あるいは「じゃあ、今日はどうするの？」と思うので、どうしても Tomorrow を文頭に置くならば、

Tomorrow, I'll start this project, but today I'll take a day off.
（明日からこのプロジェクトをはじめるが、今日は休みにする。）

などと表現するのがいいでしょう。

---

3. うれしいことに、レポートを終えた。／喜んで［嬉々として］レポートを仕上
  げた。

A: **Happily**, I finished the report.

B: **Happily** I finished the report. ▲

C: I **happily** finished the report.

文頭に**副詞 happily**（幸福に、愉快に）がコンマ付きで置かれる A は、「うれしいことに…」という意味ですが、C のように使われれば、「喜んで［嬉々として］…をした」という意味になります。しかし B のように Happily ... とコンマなしで用いると、やや不自然になります。

happily は「幸せに」の意味で、次のようにおとぎ話などの締めの言葉とし

てよく使われます。

They lived **happily** ever after.
（その人たちはその後いつまでも幸せに暮らしました。）

The movie ended **happily**.
（その映画は幸せに終わった。［その映画はハッピーエンドだった。］）

最後に、意味はほとんど変わらないですが、to 不定詞のあいだに副詞が置かれる例をご紹介します。

to 不定詞のあいだに副詞が置かれる文と言えば、以下の A のような表現になります。

4.　誰も行ったことがない場所に突き進む！

A:　To **boldly** go where no man has gone before.

B:　To go **boldly** where no man has gone before. ▲

これは映画 *Star Trek*（『スター・トレック』）に出てくる言い回しです。

A と B で意味の違いはほとんど感じられませんが、アメリカ人はこの『スター・トレック』の言い回しを知っている人が多いからか、A のほうがずっと自然に感じられるようです。

boldly go / go boldly のいずれも「果敢に進む、突き進む」といった意味になりますが、しいて言えば A の「to ＋副詞＋動詞」の語順にしたほうがストレートに副詞が動詞を修飾するため、やや強調の度合いが強く感じられます。go boldly が一般的な言い方であるのに対し、あえて boldly go とすることで、より副詞と動詞の組み合わせが生きてくるようです。

これが主語述語のある「節」ではなく、to 不定詞で始まる「句」であることも、自然に感じられる理由のひとつと思われます。

そのほかの、to 不定詞のあいだに副詞が置かれる例を紹介します。

5. 外出自粛中に経験したことを彼女は静かに話そうとした。

A： She tried to **quietly** tell what she experienced during the quarantine.

B: She tried to tell **quietly** what she experienced during the quarantine.

C: She tried to tell what she experienced during the quarantine **quietly**. ▲

いちばん自然なのは B ですが、A もこの場合は特に問題ありません。例えば、

6. 彼女は静かに部屋を出ようとした。

A: She tried to **quietly** leave the room. ▲

B: She tried to leave the room **quietly**.

であれば、B のほうがずっと自然ですし、A は不自然な言い方ととらえるネイティブも少なくないでしょう。

「長い句があいだに入ってしまうなどして、動詞と副詞があまりに離れているときは、副詞が動詞を修飾していることがわかりにくくなってしまう。それを防ぐために、to 不定詞のあいだに副詞を入れる」というネイティブの意識が働き、5 の C ではなく、A のように表記することもあるのだと思われます。

この「to 不定詞のあいだに副詞が置かれる例」を、いくつかご紹介しましょう。日本人にはなかなかできない表現のようですが、このようなフレーズがフッと出てくると、あなたの英語力もネイティブに近いレベルになったと言えます。

Anna did her best to **bravely** face the crowd of protesters.
（アンナは抗議をする群衆に勇敢に立ち向かおうと最善を尽くした。）

The man made attempted to **quickly** run indoors from the rain.

（その人は雨を逃れてすばやく室内に駆け込んだ。）

Mark wanted to **calmly** talk with his brother, but they argued
anyway.

（マークは弟と落ち着いて話したかったが、どうしてもふたりは言い争った。）

The little boy's mother tried to **gently** wake him from his nap.

（小さな男の子の母親は、彼を昼寝からそっと起こそうとした。）

For Jim to **suddenly** say "I love you" made Emily very happy.

（ジムに突然「愛している」と言われ、エミリーはとても幸せな気持ちになった。）

II

副詞の使い分け

副詞も同じ意味のものがたくさんあり、状況によってニュアンスや「意味の強さ」が異なります。本章では以下の分類をもとに、それぞれの副詞の使い方を考えてみます。

**1. 可能性、確実性　2. 程度　3. 頻度　4. 時期、協調そのほか
5. 目に見える、感じられる状態　6.（内面の）状態、様子**

またここでは、

まったく、すっかり（否定文）

He didn't ------- understand my explanation.

彼はわたしの説明を（　　　　）理解しなかった。

●●● completely

●● wholly

●● fully

●● entirely

● totally

▲ significantly

と、この文にふさわしいと思われる副詞を、上から順に示しています。●や▲や×を使って以下のニュアンスを示しました。

●●●　　いちばん自然／いちばんよく使う
●●　　　自然／使える
●　　　　自然だがさほど使わない／使えるがやや不自然
▲　　　　やや不自然／意味は通じるが不自然
×　　　　使えない／不自然

　ただし、この文では不自然な副詞も、ほかの状況では自然となる場合もありますので、それぞれの副詞を使った例文も紹介します。生きた例文で、各副詞の使い方を確認してください。

1. 可能性、確実性

1. きっと、おそらく

He ------- gave the best presentation of the entire conference.

カンファレンス全体でも彼の発表が（　　　　　）いちばんよかっただろう。

- ●●● probably
- ●● arguably
- ● possibly
- ● conceivably

probably（たぶん、おそらく）は、possibly を使った言い方より可能性が高く感じられます。人によって違うでしょうが、80％くらいのイメージがあります。

ただし会話では、それよりももっと可能性が低い「わたしはその場にいなかったが、おそらくそうだった」といった言い方にもよく用いられます。この場合は、「わたしはそのカンファレンスにずっといなかったが、おそらく彼の発表がいちばんだっただろう」という意味になります。

arguably（まず間違いなく、おそらく、たぶん）は客観的かつ知的な言い方で、「…と言えるでしょう」「…と言うと説得力があるかもしれません」といったニュアンスがあります。

possibly（もしかるすると、ことによると、あるいは）は probably より可能性が低く、40-50％くらいの印象になります。

conceivably（考えられるところでは、ことによると）は可能性が一番低く（20-30％くらい）、断言したくない場合によく用いられます。

この文であれば、probably, arguably を使った言い方が自然に聞こえます。

しかし、それはこの例文において言えることで、それぞれふさわしい使い方

があります。以下、本章の各項目では、それぞれの副詞を使うのが自然と思われる例文を挙げます。

▶ probably

It'll **probably** rain tomorrow, so we need to change our plans.
（明日は雨が降るだろうから、予定を変更する必要がある。）

▶ arguably

He is **arguably** the only person who can fix this problem.
（彼はこの問題を解決できる、おそらくただひとりの人物と言える。）

▶ possibly

Possibly as many as 30 people will come to the conference, so we need more chairs.
（30人ほどカンファレンスに来るだろうから、もっと椅子が必要だ。）

▶ conceivably

The new policy could **conceivably** affect our plans to expand overseas.（新しい方針によって、海外進出計画に影響があるかもしれない。）

---

2. まったく、すっかり（肯定文）
I'm very sorry, but I ------- forgot about the meeting.
ごめんなさい、（　　　　　）忘れていました。

●●● completely
●●● entirely
●● totally
✕ absolutely
✕ utterly

---

completely（完全に、まったく）がここではいちばん自然な言い方です。「完全に頭から消えてしまった」ことが表現されています。

entirely（まったく、すっかり）もこの状況では問題なく使えます。

totally（まったく、すっかり）は口語的な言い方で、自分の気持ちなどを表現する場合によく使います。最近は感情を強調する際にも使われますが、これを聞くと不愉快になる人もいます。フォーマルな言い方や論文を書く際に使われることは、まずないと思います。

absolutely（まったく、完全に）はここでは不自然です。absolutely は意思決定する際に使われるので、この文では不適切になります。

utterly（まったく、全然、すっかり）が形容詞を修飾する際に使われることはよくありますが、動詞を修飾する際に使われることはほとんどありません。そのため、この場合は不自然です。utterly が使われる機会は減っていますが、うまく使うと知的に聞こえます。わりとネガティブな状況で使われることが多いかもしれません。

以下、それぞれの副詞の例文を挙げます。

▶ **completely**

COVID-19 has **completely** changed our way of life.

（新型コロナウイルスによって生活が完全に変わった。）

▶ **entirely**

The client isn't **entirely** convinced that we will finish by the end of this month.（われわれが今月中に仕上げられると顧客は完全には思っていない。）

▶ **totally**

Our factory was **totally** destroyed by the earthquake.

（工場は地震で全壊した。）

▶ **absolutely**

I'm not worried because I'm **absolutely** sure that we won't have to pay a penalty. （制裁金を払う必要はないと確信しているから、心配していない。）

▶ utterly

We are in a difficult situation, but we aren't **utterly** helpless.

（むずかしい状況だが、助けがまったく期待できないわけではない。）

---

3. まったく、すっかり（否定文）

He didn't ------- understand my explanation.

彼はわたしの説明を（　　　　　）理解しなかった。

● ● ● completely
● ● wholly
● ● fully
● ● entirely
● totally
✕ significantly

この場合は、**completely**（完全に、まったく）がいちばん自然です。

wholly（すっかり、まったく、完全に）は問題ないですが、この語はcompletely ほど日常的に使われることは少ないようです。

fully（十分に、完全に）も **entirely**（まったく、すっかり）も問題ありません。

totally（まったく、すっかり）はかなり口語的で、論文などのかしこまった文書で使われることはないと思います。

significantly（相当に、かなり）は不自然です。

significantly 以外どれも普通に使うことは可能ですが、ネイティブはこの否定文では completely を使うはずです。

では、これらの副詞を使った例文を以下に挙げます。

▶ completely

The door is not **completely** closed.（ドアは完全に閉まっていない。）

▶ wholly

The government wasn't **wholly** unprepared to deal with the virus.

（政府は完全なウイルス対策ができていないわけではなかった。）

▶ fully

Our company never **fully** recovered from the recession.

（わが社は景気後退から完全に回復できなかった。）

▶ entirely

Problems are not **entirely** avoidable, so we always need to be careful. （問題を完全に避けることはできないので、常に注意が必要だ。）

▶ totally

I was not **totally** convinced that she told me the truth.

（彼女が本当のことを言っていると完全には思えなかった。）

▶ significantly

The study showed that health could not be **significantly** improved with excessive exercise. （その研究によると、過剰な運動によってかなりの健康改善が期待できるわけではない。）

4. 本当は、実際（に）は

I thought my company was doing well, but we were -------
in financial trouble.

会社はうまくいっていると思っていたが、（　　　　　）経済的な問題を抱えていたのだ。

●●● actually
●● really
▲ truly
▲ indeed

actually（実際（に）は、本当は）は日本語では「実は」に近い感じがします。
really（まったく、本当に）は actually と同じような意味ですが、もっと口語的な言い方になります。
truly（［真実に］偽りなく、本当に）は、ここではやや不自然な文になります。

I knew my company wasn't doing well, but we were **truly** in financial trouble.（会社がうまくいっていないことは知っていたが、実際に経済的な問題を抱えていたのだ。）

として、「本当に会社がうまくいっていないことがわかっていた」と明確に表現すればすっきりします。
indeed（確かに、本当に）も truly と同じで、ここではやや不自然ですが、

I knew my company wasn't doing well, but we were **indeed** in financial trouble.（会社がうまくいっていないことは知っていたが、実際に経済的な問題を抱えていたのだ。）

とすれば自然に読めます。
以下、各副詞の例文を挙げます。

▶ actually

The Metropolitan Police Department believes the politician guilty, but it doesn't **actually** have anything on him. (警視庁はあの政治家は有罪だと確信しているが、実際には何の証拠もつかんでいない。)

▶ really

Do you **really** expect me to believe that?
（わたしが本当にそれを信じると思う？）

▶ truly

We are **truly** grateful for your advice during the crisis.
（あの危機的状況では助言いただき、心から感謝しております。）

▶ indeed

The recovery of the patient was **indeed** remarkable. He's in perfect health now. (あの患者は驚くべき回復ぶりを示した。今は健康そのものだ。)

2. 程度

1. かなり (1)、とても
I was fairly busy last month, but I'm ------- busy this month.

先月はまあまあ忙しかったが、今月は（　　　）忙しい。

●●● extremely
●●● quite
●●● rather
●●● pretty
●●● very

　extremely（きわめて、極端に、とても）はこの文では自然です。感情的ではなく、客観的で冷静な言い方です。

　quite（すっかり、なかなか）もこの状況で問題なく使えます。ここでは文の冒頭に出てくる fairly よりも、ちょっとだけ忙しい感じになります。

　rather（かなり、だいぶ）もこの文では自然です。quite とよく似たニュアンスで「控えめに忙しい」イメージになります。

　pretty（かなり、なかなか）もこの状況では問題なく、口語的な含みがあります。pretty はいい意味でも悪い意味でも用いられます。quite, rather, pretty は、ネイティブが見てもとてもよく似ています。

　very（とても、非常に）も口語表現でよく使われますし、この場合も問題ありません。very はいい意味でも悪い意味でも使われます。

　上の文中の **fairly** は、ここでは「**まあまあ、まずまず**」の意味で使われていますが、「かなり、相当に」の意味でも用いることが可能です。そしてこの副詞は、主にいい意味で使われます。

　以下、fairly も含めて例文を挙げます。

▶ extremely

It was **extremely** difficult to convince everyone to say yes to our proposal.（われわれの提案に対して全員に賛成してもらうのは、きわめてむずかしいことだった。）

▶ quite

This model is selling **quite** well, so I don't think we should change the design.（このモデルはよく売れているから、デザインを変える必要はない。）

▶ rather

Susan behaved **rather** strangely in the meeting, so I don't fully trust her.（スーザンの会議での振舞いはかなりおかしなものだったから、私は完全には信用しない。）

It was **rather** easy to find a good location for our new factory.
（新しい工場にぴったりの場所がかなり簡単に見つかった。）

▶ pretty

I'm **pretty** sure that the new hospital will be finished in early August.
（間違いなく言えるが、新しい病院は 8 月に入ってすぐに完成する。）

▶ very

We're **very** interested in talking with you and discussing the possibilities.
（お話して何ができるか討議できるのがとても楽しみです。）

▶ fairly

It will be **fairly** expensive to fix this problem, but I think we can afford it.（この問題を解決するにはかなりお金がかかるが、出せると思う。）

---

2. かなり (2)、相当に

Teleworking is recognized as being ------- less stressful than commuting to and from work.

テレワークは通勤するよりも（　　　　）ストレスが少ないとわかった。

●●● considerably
●● substantially
▲ greatly

　この文では、**considerably**（相当、すいぶん、かなり）がいちばんしっくりします。客観的に言及したいときに使う副詞で、文脈や言い方によっては控えめな感じも出すことができます。意味的には「大きく」「かなり」ということになります。

I said the change would help our profitability **considerably**. I didn't say it would double our profits.
（変革によってかなりの利益改善がはかれるだろうと私は言った。倍増するとは言っていない。）

　substantially（相当に、大いに、非常に）はこの状況では considerably ほど自然ではありません。substantially は客観的に表現したいときによく使う語ですが、人の感情に対してはあまり使わないでしょう。

Education goals differ **substantially** between the two countries.
（両国の教育目的の違いは相当なものだ。）

　greatly（大いに、非常に）は主にポジティブな文脈で用いるため、ここではやや違和感を覚えます。
　以下、3つの副詞を使った例文を挙げます。

▶ **considerably**

The new policy will reduce overtime **considerably**.

（新たな規則によって残業が大幅に減った。）

▶ **substantially**

The quality of our products has improved **substantially** since last year. （当社製品の品質は昨年から大幅に改善した。）

▶ **greatly**

Our company benefited **greatly** from the drop in interest rates.

（金利低下に当社はかなりの恩恵を受けた。）

---

3. 顕著に、傑出して

Alice and Mike are ------- gifted, but Robert is average.

アリスとマイクは（　　　　）才能の持ち主だが、ロバートは並だ。

●●● exceptionally

●● greatly

● eminently

● preeminently

● stupendously

▲ dominantly

▲ outstandingly

---

exceptionally（特にすぐれて、非常に、例外的に）、**greatly**（非常に、大いに）という意味でよく使われます。exceptionally gifted も greatly gifted もよく聞く言い方ですので、ここでは自然です。

eminently（きわめて、非常に），**preeminently**（顕著に、すばらしく），**stupendously**（途方もなくすばらしい、とてつもなくいい）は意味は通じ

るものの、やや不自然です。いずれも普通の会話ではまず使われませんし、かなりかしこまった印象を与えます。

dominantly（優勢に、支配的に）がこの状況で使われることは、まずないでしょう。dominantly は、「身体の左右一対の器官の一方が、他方より機能的にすぐれている」という意味でも使われますので、ご注意ください（以下の例文参照）。

outstandingly（傑出して、群を抜いて）は、outstandingly gifted という言い方をしないのでやや不自然です。

以下、それぞれの用例を挙げます。

▶ exceptionally
George did **exceptionally** well on the test.
（ジョージはテストでずばぬけてよくできた。）

▶ greatly
Readers' response to the popular author's latest novel has varied **greatly**. （人気作家の最新作に対する読者の反応は実にさまざまだ。）

Your help on the project would be **greatly** appreciated.
（プロジェクトをご支援いただき、誠にありがとうございます。）

▶ eminently
This report is **eminently** worth reading for every employee.
（このレポートは従業員全員が読むべき非常にすぐれたものだ。）

▶ preeminently
Spring is **preeminently** the time when people change jobs.
（春は最高の転職の季節だ。）

▶ stupendously

The Beatles' *Sgt. Pepper's Lonely Hearts Club Band* did **stupendously** because it was an innovative and exciting album.

（ビートルズの『サージェント・ペパーズ・ロンリー・ハーツ・クラブ・バンド』は大成功した。斬新でワクワクするアルバムだったからね。）

▶ dominantly

Telework is **dominantly** spreading among many businesses after the pandemic. （パンデミックのあと、テレワークを取り入れる企業が増えている。）

I'm **dominantly** left-handed, but I can also use my right hand without much trouble. （わたしは左利きだが、右手でも大体なんでもできる。）

▶ outstandingly

Nancy didn't get the highest score, but she did **outstandingly** well.

（ナンシーは最高点こそ取れなかったが、群を抜いていた。）

---

4. びっくりするほど、驚くほど

-------, no one complained about the policy changes.

（　　　　　）、だれも規則が変わったことに不平を漏らさなかった。

●●● Surprisingly

●● Amazingly

●● Remarkably

冒頭に副詞を使う言い方は 51 ページを参照ください。

surprisingly（驚いたことには）は amazingly よりもよく使われ、ここではいちばん自然でしょう。

amazingly（びっくりするほど）を大げさに感じる人もいるでしょうが、

ここでは問題なく使えます。

remarkably（著しく、驚くほど）は客観的に判断しているイメージがありますが、amazingly と同じくここでは問題なく使えます。

以下、例文を挙げます。

▶ surprisingly

The project went **surprisingly** well, considering the poor planning.
（そのプロジェクトは計画が杜撰だったことを考えれば、驚くほどうまくいった。）

▶ amazingly

Amazingly, I passed the test the first time I took it.
（びっくりしたことに、初めて受けたそのテストに合格した。）

▶ remarkably

Most students did **remarkably** well on the test, but a few of them failed miserably.（ほとんどの学生はテストで目覚ましい成績をあげたが、数名はみじめな点数しか取れなかった。）

---

5. 圧倒的に、比類ないほど
As the population of this town is ------- elderly, there is only one elementary school.
この町の年齢層は（　　　　）上がり、小学校はひとつしかない。

●● overwhelmingly
✕ massively
✕ overpoweringly

ここでは **overwhelmingly**（圧倒的に）が自然で、**massively**（大いに、大幅に、どっしりと）も **overpoweringly**（強烈な、圧倒的な）も使えません。

thumping（途方なく、すごく）という似た意味の副詞もありますが、今ではまず使われないでしょう。ネイティブも単語を見ただけでは意味がよくわからないですし、実際に使われている文をほとんど目にしたことはありません。

以下、例文を挙げます。

▶ overwhelmingly

The response from our clients was **overwhelmingly** positive, so I'm not too worried.

（顧客からの反応は圧倒的にポジティブなものだから、そんなに心配していない。）

▶ massively

The importance of this project was **massively** understated, which led to its failure.

（このプロジェクトの重要性はひどく軽んじられていたから、失敗した。）

▶ overpoweringly

His cologne was **overpoweringly** strong and the scent lingered even after he left the room.

（彼がつけている香水はとても強くて、部屋を出たあともにおいが残っていた。）

---

6. きわめて、非常に

I had never met Mary before, but she was ------- nice to us.

メアリーには会ったことがなかったが、わたしたちに（　　　）よくしてくれた。

●●● **extremely**

●●● **very**

● **awfully**

● **terribly**

---

extremely（きわめて、極端に、とても）はこの文にしっくりしますし、awfully よりも「親切さの度合い」も強く感じます。

very（とても、非常に）も自然ですし、この副詞はあらゆる場所でとてもよく使われます。実際 very はどの状況でもほぼ使えるため、使いすぎてしまう傾向があります。そのため awfully, extremely, terribly などを代わりに使うことがよくあります。またこの副詞は客観的であまり気持ちが入っていない印象を与えてしまうので、注意する必要があるかもしれません。

awfully（非常に、とても、すごく）はこの文脈で自然に使えますが、少し古い言い方に聞こえます。

terribly（ひどく、すごく、非常に）は否定文で使われるのであれば、すなわち、... she wasn't terribly nice to us. という文であれば非常に自然ですが、肯定文だとさほどよく使う言い方ではないでしょう。

以下、例文を挙げます。

▶ **extremely**

I'll be **extremely** busy next week, so I won't have time to go to the seminar.（来週はすごく忙しくなるから、セミナーに行く時間はとれないかも。）

▶ **very**

We are **very** interested in hearing about your plans to build a new factory.（新工場建設に関する御社の計画は、どれもうかがうのがとても楽しみです。）

▶ **awfully**

I'm **awfully** glad that it didn't rain today or we would have had to cancel the party.（今日は雨が降らなかったのですごくうれしい。もし降っていれば、パーティは中止にしなければならなかった。）

▶ **terribly**

It shouldn't be **terribly** difficult to find additional office space to rent.（オフィスの追加レンタル・スペースを見つけるのは、それほどむずかしいことではない。）

7. 劇的に

The new law will ------- change the way we do business.

新しい法はビジネスの仕方を（　　　　）変えるだろう。

●● dramatically

●● drastically

▲ spectacularly

dramatically（劇的に、がらっと）は、上の例文に問題なく使えます。

drastically（抜本的に、大幅に）も問題ありません。こちらは dramatically に比べると悪い意味で使われることが多いように思います。

spectacularly（目覚ましく、劇的に）は「見世物として劇的である」というイメージがあるので、ここではやや不自然です。

以下、例文を挙げます。

▶ dramatically

He **dramatically** finished his career with a huge performance.

（彼は一大パフォーマンスを打って劇的に引退した。）

▶ drastically

Flights have been **drastically** reduced due to a lack of demand.

（空の便は需要減により大幅に減った。）

▶ spectacularly

Fujii Industries failed **spectacularly** to stop the strike and get the factory moving again.（フジイ・インダストリーズは首尾よくストライキを止められず、ふたたび工場を移すことになった。）

3. 頻度

1. いつも、頻繁に
We ------- have to work overtime, so I think we need to hire someone.
ここでは（　　　　）残業をしなければならないから、誰かを雇う必要がある。

●●● often
●●● frequently
●● always
●● usually
● regularly

　頻度の高いものから **always, usually, regularly, often, frequently** となります。

　この文では、**often**（しばしば、たびたび）がいちばん自然かつ一般的でしょう。often は、フォーマルにもカジュアルにも使える副詞です。

　frequently（しばしば、たびたび）も非常に自然ですが、少し知的な言い方になります。

　always（いつも、常に）も自然ですし、よく使われます。

　usually（普通は、いつもは）も自然です。

　regularly は「頻繁に」より「定期的に」という意味が強いですが、ここではどこか不自然な言い方になるかもしれません。

　ただ、上に述べた順も**状況次第で変わり**、

I **regularly** come to this supermarket.（私はいつもこのスーパーで買う。）

と言うと、「週1回」のイメージですが、

I **often** come to this supermarket.

I **frequently** come to this supermarket.

と言うと、「週2, 3回」スーパーに行っているように聞こえます。
では、各副詞を使った例文を紹介します。

▶ often
I don't **often** have time to go on long vacations.
（長い旅行に出られる時間はめったに取ることができない。）

▶ frequently
The trains run less **frequently** on holidays and weekends.
（土日祝日の運行本数は少ない。）

▶ always
I'm **always** busy in the morning. （午前中はいつも忙しい。）

▶ usually
He **usually** goes to his office by car. （彼はふだんは車で通勤している。）

▶ regularly
We meet **regularly** to discuss the project.
（定期的に会ってそのプロジェクトについて話しあっている。）

This machine will last longer if you clean it **regularly**.
（この機械は定期的に手入れをすれば長持ちする。）

---

2. 時々、時には

I ------- have to work on weekends, but I'm mostly free.

（　　　　　）週末働かないといけないですが、大体あいています。

●●● sometimes
●●● occasionally
●● now and then

どれもこの文脈で使うことができます。

sometimes（時々、時には）は口語的な副詞ですが、この文では非常に自然です。ただ、sometimes はどのくらいの頻度か意味がはっきりしないときがあるので、注意しないといけません。

occasionally（時折、たまに）もこの文ではとても自然ですし、各状況でよく使われます。より深く考えて返事をしているイメージがあります。

now and then（時々）は I have to work on weekends **now and then**. とすれば、より自然になります。

それぞれ例文を挙げます。

▶ **sometimes**

She **sometimes** plays tennis with her friends.
（彼女は時々友人たちとテニスをする。）

▶ **occasionally**

My daughter **occasionally** sends me text messages.
（娘は時々文書メッセージをくれる。）

▶ **now and then**

Miles visits his uncle **now and then**. （マイルスはおじを時々訪れる。）

3. 一時的に

Operation on this train line has been -------- suspended due to an incident at the next station.

隣の駅で事故があり、この路線は（　　　　　）運行が止まっている。

●● temporarily
▲ tentatively
✕ transitorily

「頻度」を表わすときによく使うのが **temporarily**（一時的に）で、この文では自然です。継続ではなく、「今のところだけ」という意味になります。これは未来について言う語で、この例文で使われると「今のところは止まることになるが、後でその必要がなくなる」と感じさせるかもしれません。

次のように使われます。

I'm living **temporarily** in America.（今は一時的にアメリカに住んでいます。）

tentatively（試験的に、仮に、一応）は「今のところはそうだが、あとで変わる可能性がある」ことをほのめかしますが、ここではやや不自然です。

I'm **tentatively** scheduled to move to the marketing department next year.（今のところ来年はマーケティング部に異動する予定です。）

この文も、今後変わる可能性があることを感じさせます。

transitorily（一時的に）はあまり使わない、専門的な語です。一般の会話などでは、まず使われないと思います。

以下、例文を挙げます。

▶ temporarily

We're going to have to **temporarily** suspend business due to the pandemic.（パンデミックにより一時休業しなければならない。）

▶ tentatively

The board meeting is **tentatively** scheduled for next month, but we need to finalize everything by the end of this week.

（役員会は今のところ来月に予定されているが、今週末までにすべて決める必要がある。）

▶ transitorily

He **transitorily** believed that his original theory was correct, but then he made a new discovery.

（彼は最初の理論を正しいと一時的に考えたが、そのあと新しい発見をした。）

---

4. めったに…ない、決して…ない

I ------- have time to watch television, but today that's all I did.

テレビを見る時間は（　　　　）が、今日は好きなだけ見られる。

●●● seldom

●● hardly [scarcely] ever

●● never

---

seldom（めったに…しない）は「めったにテレビを見ない」としてこの文では問題なく使われます。

hardly [scarcely] ever（めったに…しない、めったに…でない）もよく使われますし、ここでも自然にあてはめることができますが、I hardly [scarcely] ever have time to watch television. は「テレビを見る時間があるなんてとんでもない」というような意味になります。非常に口語的な表現になり、seldom を使った言い方よりテレビを見る時間は少ないと思われます。

never（決して…ない）ももちろん使えますが、I never have time to watch television. は、テレビを見る時間が一番少ないというか、「全然ない」と伝わる言い方です。「全然ない」は感情的な言い方にもなってしまうので、より客観的に表現するには I almost **never** have time to watch television. と言うのがいいかもしれません。

以下、用例を示します。

▶ seldom

Our museum is far from the main sightseeing area, and that's why foreign tourists **seldom** visit it. （当博物館は主要観光地から遠く離れているため、外国からの旅行者はめったに訪れない。）

▶ hardly

Since my sister moved to a different city, I **hardly** ever see her. （妹は別の町に移ったので、それから滅多に会っていない。）

▶ never

I **never** want to talk to Henry again. He's so rude. （ヘンリーとは二度と話さない。とても無礼だから。）

4. 時期、強調そのほか

---

 1. かつて、以前
I have been to Japan -------.
（　　　）日本に行ったことがある。

●● once
●● before
✕ formerly

---

　once（かつて、一度）, **before**（以前に）を使った言い方はともに自然ですが、once before と両方の語をつなげて I have been to Japan **once before**. と言うこともできます。こうすると「1回だけ」が強調されて、意味が明確になります。

　また I have been to Japan several times **before**. または I have been to Japan **in the past**. という言い方もよくします。

　formerly（以前は、かつて）はここでは不自然です。

　以下、例文を挙げます。

▶ **once**
He told me that **once**. （彼はそれをかつてわたしに伝えた。）

▶ **before**
I think we've met **before**. （ぼくたち、以前どこかで会ったと思う。）

▶ **formerly**
Charles **formerly** worked for a television station, but now he's a teacher. （チャールズはかつてテレビ局で働いていたが、今は教師をしている。）

---

2. ただ…だけ、単に

The GDP ------ declined by 0.5 percent, so I don't think we're in a recession.

国民総生産は 0.5 パーセント （　　　） 落ちていないので、不況は抜け出していると思う。

●●● only
●● just
▲ merely
✕ simply
✕ solely
✕ alone

only （ただ…だけ、単に） と **just** （ちょうど、まったく、まさに） は問題なく上の文に使えます。ただし、もっとも自然なのは only でしょう。

merely （単に…だけ、わずかに…しか）はやや不自然ですが、それ以外の語 **simply** （単に…だけ、ただ）, **solely** （ただ…だけ、単に）, **alone** （**1** 人で、単独で）はこの文には使えません。

merely は、only に比べるとかしこまった言い方です。そして merely は「単にそれしかない」と「強調する」ときに用いられることがほとんどです（以下の例文参照）。

以下、それぞれの副詞の例文を挙げます。

▶ only

It'll **only** take me a few minutes to finish.

（2, 3 分あれば終えることができる。）

▶ just

We tried to improve the situation, but everything is **just** as bad as it was before. （状況の改善を試みたが、前と同じくらい悪くなっただけだった。）

▶ merely

Merely 10% of the employees are aware that the policy has been changed.（規則が変わったと気づいているのは従業員の 10 パーセントだけだ。）

▶ simply

Henry was **simply** furious that he had to retake the test.

（ヘンリーは再テストを受けることになり、ただ憤った。）

▶ solely

Maybe I made a mistake, but I'm not **solely** responsible for this problem.

（間違いをおかしたかもしれないが、わたしだけに責任があるわけではない。）

▶ alone

Alice used to live with her sister, but now she lives **alone**.

（アリスは姉さんと住んでいたが、今はひとり暮らしだ。）

---

3. それぞれ

In 2017, 2018 and 2019, our sales increased by 10%, 15% and 18%, -------.

2017 年、2018 年、2019 年、当社のセールスは（　　　　　）10% , 15%, 18% 拡大した。

●●● respectively
✕ separately
✕ each
✕ severally

---

respectively（それぞれ、おのおの）は通常、このように文末に置かれます。

そして respectively 以外は不自然です。

代わりに、

Sales were down 10% in 2017, (down) 15% in 2018, and (down) 18% in 2019.

という言い方をするでしょう。

separately（別々に、別個に）は、**together**（一緒に、ともに）ではないことを強調したいときに使います。

I gave Mike and Sally a map, and then each went to the seminar room **separately**.
（マイクとサリーに地図を渡したところ、それぞれ別々にセミナー・ルームに向かった。）

each（それぞれ、めいめい）は代名詞としても、形容詞としても次のように使われます。

Each employee may work remotely during the quarantine.
（隔離生活のあいだはどの社員もリモートワークが許されるだろう。）

この副詞 **remotely**（遠く離れて、遠くから）もあわせて覚えましょう。
severally（別々に）はほぼイギリス英語のため、アメリカで使われることはまずありません。

では、用例を挙げます。

▶ **respectively**
We established our first and second branches in London and Paris, **respectively**. （最初の支社と 2 番目の支社をそれぞれロンドンとパリに設置した。）

▶ separately

Instead of going **separately**, why don't we rent a van and all go together? (別々にいくよりも、ワゴン車をレンタルして一緒にいかないか?)

▶ each

They cost a dollar **each**. (1 個 1 ドルした。)

▶ severally

We talked to the lawyer **severally** if he thought our actions were legal, and he said there was no problem.

（私たちの行動が合法だと思うか弁護士にそれぞれ個別に話したところ、問題がないと言われた。）

5. 目に見える、感じられる状態

---

1. 明らかに、はっきりと

She is ------- the best candidate for the position, but I don't think we can afford her.

彼女が（　　　　）この職にいちばんふさわしい志願者だが、採用できる余裕がないかもしれない。

- ●●● clearly
- ●●● obviously
- ●● certainly
- ▲ distinctly

---

clearly（はっきりと、明瞭に）は上の例文で問題なく使えます。

obviously（明らかに、明白に）もとても自然に使えます。この副詞はclearly に近いですが、clearly よりも意味は強いです。

certainly（確かに、きっと、間違いなく）も使えます。こちらは主に自分の考えを言うときに用いられます。

distinctly（はっきりと、明瞭に）は、ここではちょっと不自然です。この副詞は、

I **distinctly** remember seeing him.

（彼に会ったことを明確に覚えている。）

というように自分の意志、意識を示すときに使われます。

　以下、例文を挙げます。

87

▶ clearly

Reiko explained every part of the agenda very **clearly** in the meeting. (玲子は会議で議題のすべてを実に明確に説明した。)

▶ obviously

You were **obviously** wrong, so I think you need to apologize.
（きみは明らかに間違っているし、謝罪する必要があると思う。）

▶ certainly

I'm **certainly** not going to break the law to save a little money.
（わずかなお金を守るために法を破ることは決してしない。）

▶ distinctively

She remembered everything about him very **distinctly**.
（彼女は彼に関することをすべてはっきり覚えていた。）

---

2. 目立って、著しく

George was looking ------- better, so he should be able to return to work soon.

ジョージは（　　　　）元気そうだったから、近いうちに仕事に戻れるだろう。

●●● noticeably
●● conspicuously
▲ predominantly

---

noticeably（目立って、著しく）が、ここではいちばん自然です。この副詞は、いい意味でも悪い意味でも使うことができます。

conspicuously（著しく、目立って）は使えますが、どちらかといえば悪いことに使うことが多いようです。

Andrew was **conspicuously** unemotional during the trial.

（アンドリューは裁判で、ひどく冷静だった。）

と言うと「冷静であること」が怪しいとにおわせます。

predominantly（圧倒的に、主に、目立って）は、ここではやや不自然です。predominantly は、主に「数や量が圧倒的に多い」と言うときに使われるようです。

The tourists there were **predominantly** Chinese.

（そこにいる旅行客は圧倒的に中国人が多かった。）

以下、それぞれの例文を挙げます。

▶ noticeably

He was **noticeably** nervous when he met the famous author.

（その有名な作家と会ったとき、彼は明らかに緊張していた。）

▶ conspicuously

The President was **conspicuously** missing from the conference, so everyone was questioning his interest in this issue.

（大統領は会見の場にいないことが明らかだったので、この問題にどんな関心を持っているのか誰もが疑問を抱いた。）

▶ predominantly

The population of this city is **predominantly** poor, so the economy was seriously hurt by the recession.

（この都市の人口が圧倒的に少ないため、景気後退により経済は深刻な打撃を受けた。）

population は、the population と定冠詞がつくことで「ある地域の住民」の意味で使われます。

3. 鮮やかに、はっきりと

This chemical will ------- show us where the steel is weak.

この化学薬品によって、鋼鉄のどの部分が弱いか（　　　　）わかるだろう。

●●● clearly
●●● vividly
▲ brilliantly
✕ sharply
✕ clear
✕ brightly

clearly（はっきりと、明瞭に、ありありと）はこの文にとても自然に使えます。clearly は良いものに対しても悪いものに対しても使えます。

vividly（鮮やかに、生き生きと）もここでは自然です。視覚的に「鮮やかに」に近い意味で使われることが多いですが、次のように「ありありと」覚えているといった意味でもよく用いられます。

I **vividly** remember his mockery of me at the conference in 2013.
（2013 年のカンファレンスであの男にバカにされたことをはっきり覚えている。）

brilliantly（見事に、すばらしく、きらきらと）はこの文ではやや不自然です。悪いものに対して用いられることは、あまりないと思います。

sharply（くっきりと），**clear**（はっきりと），**brightly**（輝いて、明るく、きらきらと）はこの場合不自然です。

sharply は「急に」や「鋭く」の意味でも用いられます。「くっきり」の意味合いで使われる場合は、複数のものを比較するときに使われることが多いようです。

clear も clearly と同じように副詞で用いられますが、clear のほうが口語的です。clear は「離れて」の意味でも使われます。clear と clearly の違いは 47 ページをご覧ください。

brightly は主に光や火に関係する場合に用いられますが、笑顔が「きらきらしている」といったときにも使われます。

では、各副詞の例文を挙げます。

▶ **clearly**

Everyone needs to **clearly** understand how serious this problem is.（誰もが明確に認識しなければならないが、この問題は深刻だ。）

▶ **vividly**

I **vividly** remember everything that she said.
（彼女が言ったことはすべてありありと覚えている。）

▶ **brilliantly**

His plan worked **brilliantly**.（彼の計画は見事に機能した。）

The entire wall was **brilliantly** covered in gold stars.
（壁全体が金色の星できらきらとおおわれていた。）

▶ **sharply**

The lights **sharply** displayed the outline of the building.
（光が鮮やかにビルの輪郭を示していた。）

▶ **clear**

Speak loud and **clear**, please.（はっきり大きな声でしゃべってください。）

Please stand approximately two meters clear of that flame.
（炎から2メートルくらい距離を取って立ってください。）

▶ **brightly**

The room was **brightly** lit.（部屋は明るく輝いていた。）

My boss smiled **brightly** when he looked at the new design.

（上司は新しいデザインを見て、明るく笑みを浮かべた。）

---

4. 異なっている

The education system operates very ------- in Japan and the United States.

日本とアメリカでは教育体制がとても（　　　　　）。

●●● differently

● dissimilarly

✕ individually

✕ separately

✕ variously

　上の文脈では、**differently**（異なって、違うように）がいちばん自然です。

　dissimilarly（似ていないように）は similar であることを前提として、「違いが見られる」場合に用いられます。これも上の状況では意味が通るものの、やや不自然です。

　individually（1個ずつ、ひとりずつ、ひとつずつ）はここでは不自然です。一つひとつ（あるいは「それぞれ」）の違いを強調したいときに使われます。

　separately（別々に）もこの文では不自然です。これは individually とよく似ていますが、複数のものが「重なることがない」ことを強調したいときによく使われます。

　variously（さまざまに）もこの文に使うのはおかしいです。variously は「いろんな種類がある」と強調したいときに用いられます。

　以下、それぞれの副詞を使った例文を挙げます。

▶ **differently**

If you were the president, you might look at things **differently**.

（あなたが社長なら、違った見方ができるかもしれない。）

▶ **dissimilarly**

I thought Mike, Sally and Steve would respond the same, but they all responded **dissimilarly**.

（マイクとサリーとスティーヴは同時に返答したが、いずれも違うことを言った。）

▶ **individually**

Everyone needs to work on this project **individually** first, and then as a group.

（誰もがこのプロジェクトは最初はひとりで、そのあとグループで進める必要がある。）

▶ **separately**

Make sure you wash the sweater **separately** or you'll destroy it.

（このセーターは別にして洗わないと、傷んでしまいます。）

▶ **variously**

The hotel has been **variously** ranked as a two-star, three-star, and four-star hotel. （このホテルは2つ星、3つ星、4つ星と評価がさまざまだ。）

---

5. 細かく (1)、注意深く

 Ms. Adams wrote a ------- researched biography of Jane Austen.

アダムスさんはジェーン・オースティンの自伝を（　　　　　）書いた。

●● meticulously
●● minutely
● closely
✕ imperceptibly

meticulously（非常に注意く、細かいことに気を使って）は 17 ページでも紹介しましたが、「人の努力」に対して、「一生懸命な様子」を結果的に示すことが多いようです。この文で自然でしょう。

minutely（詳細に、精密に）もこの場合は可能です。closely よりも細かく見るニュアンスがあります。

closely は「注意して、綿密に」という意味があるので、ここでは可能です。

imperceptibly（気づかれないほどに、かすかに）は、ここでは意味がはっきりしません。

以下、例文を挙げます。

▶ meticulously

Researchers spent three years **meticulously** looking for the cause of the problem.

（調査員たちは 3 年費やして、細心の注意を払って問題の原因を探った。）

▶ minutely

We **minutely** observed the patient and recorded even the smallest change.（患者にできるかぎり目を配り、どんな小さな変化も記録した。）

▶ closely

My supervisor watched me **closely** as I used the machine by myself for the first time.

（ひとりで最初にこの機械を使うときは、上司が注意して見ていてくれた。）

▶ imperceptibly

The new model is **imperceptibly** different from the old one, so it's hard to increase the price.

（新モデルは旧モデルとほとんど変わっていないので、値段を上げるのはむずかしい。）

6. 細かく (2)、小さく

This recipe calls for the onions to be ------- chopped.

この料理は玉ねぎを（　　　　　）刻む必要がある。

●●● finely

● minutely

✕ closely

　この状況では **finely**（細かく、微細に）がいちばん自然です。**minutely**（詳細に、精密に）も使うことは可能ですが、あまり一般的ではありません。**closely**（綿密に、詳しく）は不自然で意味がはっきりしません。

　以下、例文を挙げます。

▶ **finely**

You can either **finely** chop the onions or put them in a blender.

（玉ねぎを細かく刻むか、ミキサーに入れます。）

▶ **minutely**

The crime scene was examined **minutely** for evidence by the detectives.

（犯行現場は刑事たちが細かいところまで調べた。）

▶ **closely**

The director watched the actress very **closely** from his seat.

（監督は席からその女優を非常に注意して見つめた。）

6.（内面の）状態、様子

---

1. きっぱりと、はっきり
I'm going to ------- refuse to help Sally if she asks me for help.
サリーに助けを求められても（　　　　）断るつもりだ。

●●● **flatly**
●●● **definitely**
● **flat**
● **unequivocally**
▲ **straight**

---

flatly（きっぱりと）は、この文にぴったりあいます。

definitely（明確に、はっきりと）は主に「決心」や「決意」を表わすときに使われる言い方のため、この文ではとても自然です。definitely は「まったくそのとおり」など別の意味でも使われます。

flatly だけでなく、**flat**（きっぱりと、まったく、すっかり）も同じ意味で副詞として使われるので注意しましょう。flat のほうが口語的で、

I **flat** refuse to help.（助けるのはきっぱりごめんだ。）

とか、

I **flat** refuse to pay for this!（この支払いはきっぱり断る！）

と感情的に使うことが多いと思います。ただし、ここでは少し不自然です。

unequivocally（あいまいでなく、きっぱりと）は **equivocally**（ふたつ以上の意味に取れるように、あいまいに）の反意語です。ここでは使うことは

できますが、格式的な言い方なので、やや不自然かもしれません。

　この文では不自然ですが、**straight** は、「**まっすぐに、直接に**」のほか、「**率直に、あからさまに、正直に**」の意味でも使われます。**straight out**（率直に）とすれば、この文でも自然です。

　では、例文を挙げます。

▶ flatly

I **flatly** refuse to pay that much money for one banana.（1本のバナナにこんなにお金を払いたくない［こんなにお金を払うのはきっぱりごめんだ］。）

▶ definitely

You should **definitely** tell whether you will do it or not.

（それをやるかやらないか、はっきり言ったほうがいい。）

▶ flat

I asked him for a little help, but he turned me down **flat**.

（ちょっと助けてほしいと彼に頼んだが、剣もほろろに断られた。）

▶ unequivocally

The president stated **unequivocally** that he knew nothing about the incident.

（大統領はその事件のことは何も知らないときっぱり言った。）

▶ straight out

Megan asked him **straight out** what he wanted.

（ミーガンは彼に何がほしいのかはっきりたずねた。）

2. すばらしく、ものすごく

Junko has been a[an] -------- talented pianist since she was a child.

淳子は子供の頃から（　　　　）ピアノの才能があった。

●●● exceptionally
●●● incredibly
●●● amazingly
✕ greatly
✕ blissfully

exceptionally（特に優れて、非常に、例外的に）はもちろん使えます。これは「ほかと比べてすぐれている」というイメージです。

incredibly（信じられないほど）もとても自然な言い方になります。この語は exceptionally の「ほかと比べて」という感じはありません。

amazingly（びっくりするほど）も非常に自然な言い方になります。

greatly（非常に、大いに）, **blissfully**（この上なく幸福に、幸いにも、おめでたいことに）はこの状況では不適切です。

以下、用例を挙げます。

▶ **exceptionally**
I didn't expect very much from Michael, but he did **exceptionally** well.（マイケルから多くは期待していなかったが、格別によくしてもらった。）

▶ **incredibly**
He is **incredibly** cool.（彼は信じられないほどカッコいい。）

▶ **amazingly**
The car is **amazingly** cheap.（その車は驚くほど安い。）

▶ **greatly**

Amanda's behavior has **greatly** improved since she started elementary school.（アマンダは小学校に入ってから素行がすごくよくなった。）

▶ **blissfully**

Linda was **blissfully** unaware that her company was losing money.
（リンダはおめでたいことに、会社が資金を失いつつあることに気づいていなかった。）

---

3. きびしく

Everyone used to ignore the law, but now it's ------- enforced.

かつては誰も法を守らなかったが、今は（　　　　）求められる。

● ● ● strictly
● ● rigorously
▲ sternly
▲ severely

---

strictly（きびしく、厳重にも）がもっとも自然です。law（法）という語と共によく用いられます。

rigorously（厳格に）も自然ですが、これは主に「厳格、厳密」さを表します。

sternly（きびしく、厳格に）は主に「発言や口調に対して」、また **severely**（ひどく、深刻に）は「程度のひどさ」を表すときに使われるため、この文では自然な言い方になりません。

以下、用例を挙げます。

▶ **strictly**

This information is **strictly** confidential and must not be released.

（これは極秘情報だから外部に漏れるようなことがあってはならない。）

▶ rigorously

The town was **rigorously** guarded in order to prevent crime.

（街は犯罪防止のため、厳重警戒態勢にあった。）

▶ sternly

My boss **sternly** warned me against taking my computer home on weekends.

（上司に週末家にパソコンを持って帰ってはならないときびしく注意された。）

▶ severely

If anyone is caught cheating on the test, they will be **severely** punished.（カンニングする者はきびしく罰せられる。）

---

4. 激しく

To survive in this ------- competitive business, we need to be very productive.

（　　　　）競争のきびしい［生き馬の目を抜くような］ビジネス界で生き残るには、非常に高い生産性が求められる。

●●● fiercely
●●● intensely
▲ forcefully
▲ violently
▲ harshly

---

fiercely（激しく、猛烈に）がこの文では自然で、攻撃や競争などの激しさに対してよく用いられる語です。fiercely competitive（競争の激しい）は、ビジネス用語としておなじみです。

intensely（強烈に、激しく）も自然で、主に感情に対して用いられます。

forcefully（強く、強力に）は、ここではやや不自然です。この副詞は「抵抗を押し切って無理矢理に」というイメージがあります。

violently（激しく、猛烈に）もここではやや不自然です。この副詞は暴力をともなう、あるいは下の例文にあるように「大きな声を上げて大反対した」というイメージがあります。

harshly（きびしく、目ざわりに、耳ざわりに）は主に不快感を表す際に用いられるため、ここではやや不自然です。

以下、例文を挙げます。

▶ fiercely

The soccer team fought **fiercely** for the championship.

（そのサッカーチームは優勝をかけて激しく戦った。）

▶ intensely

Peter disliked his uncle **intensely**.（ピーターは伯父をすごく嫌った。）

▶ forcefully

That company was fined for **forcefully** requiring all employees to work on weekends.

（あの会社は従業員全員に週末の就業を命じたとして、きびしい制裁金を科せられた。）

▶ violently

Linda **violently** disagreed with everything I said.

（リンダはわたしの言うことにイチイチ大声を上げて反対した。）

▶ harshly

I was **harshly** criticized for getting into an argument with our biggest client. （わが社の最大のクライアントと口論になってしまい、きびしく叱責された。）

---

5. スマートに、賢く

She is always ------- dressed, so she looks like a top business executive.

彼女はいつも（　　　　　）服装をしているから、仕事がすごくできる人に見える。

●●● smartly
●● sensibly
●● sharply
▲ cleverly

---

smartly（スマートに、こぎれいに）が、いちばんふさわしい言い方です。

sensibly（分別よく、賢く、気がきいて）もここでは使えます。smartly はこの例文のように人の外見をほめるときに使うことが多いのに対して、sensible は性格とか頭のよさをほめるときに用いることが多いようです。ですから、sensibly を使って服装をほめる場合は、以下のような言い方をします。

She's always very **sensibly** dressed.
（彼女はいつもよく考えて服を選んでいる。）

sharply（鋭く、はっきりと）は抜け目のなさを表す意味合いがあるので、この文では自然です。

cleverly（利口に、如才なく、賢く）は「賢く何かを隠している」というイメージが感じられるので（104 ページ参照）、ここではやや不自然です。

では、以下、例文を挙げます。

▶ **smartly**
Tony has a **smartly** trimmed mustache.
（トニーはこぎれいに整えた口ひげをたくわえている。）

▶ **sensibly**
She always behaves **sensibly**. （彼女はいつも分別あるふるまいをする。）

▶ **sharply**

Our profits have **sharply** declined since the CEO's bribery scandal came to light.（CEO の汚職疑惑が明るみに出てから当社の利益は激減した。）

▶ **cleverly**

He **cleverly** fooled everyone into thinking that he was an accountant.
（彼は自分が会計士であるとすべての者を巧みに思いこませた。）

---

6. 上手に、巧みに

The astronaut ------ used a hammer to fix the door, and thus saved the space station.

宇宙飛行士はハンマーを（　　　　　）使ってドアを直し、宇宙ステーションを守った。

●●● skillfully

● adroitly

● dexterously

---

skillfully（上手に、巧みに）はよく使われる副詞ですし、この文でも自然に用いることができます。

adroitly（巧みに、機敏に）と **dexterously**（器用に）は、ここでは使えるもののやや不自然です。どちらも滅多に使われることがないからでしょう。skillfully を何度も使いたくない場合にのみ、adroitly や dexterously を用いるのがいいかもしれません。

では、例文を挙げます。

▶ **skillfully**

The trailer appealed very **skillfully** to the psychology of moviegoers.
（そのトレーラーは映画を観る人たちの心理に巧みに訴えかけた。）

▶ adroitly

The magician **adroitly** made all the cards disappear into the air.

（手品師はすべてのカードを宙に浮かべて巧みにどこかに消した。）

▶ dexterously

The chef **dexterously** carved the big tuna in only a few minutes.

（シェフはほんの数秒でマグロを器用に切り分けた。）

---

7. 巧妙に、器用に

The monkey was able to ------- use a stick to open the gate and escape.

サルは（　　　　）棒を使ってゲートを開けて逃げ出した。

●●● ingeniously
●● cleverly
● cunningly

---

ingeniously（巧妙に、器用に）がこの文でいちばん自然に使えます。**cleverly**（利口に、賢く）もここでは問題ありません（102 ページ参照）。

cunningly（するく、悪賢く、狡猾に）は使えますが、ここではやや不自然かもしれません。この語は人をだますイメージがあります。

では、例文を挙げます。

▶ ingeniously

The building is **ingeniously** designed to reduce energy costs.

（そのビルは電熱費を減らすように効果的に設計されている。）

▶ cleverly

The advertisement was **cleverly** written to make it look like an official report. （その広告はまるで公式報告書のように巧みに書かれていた。）

▶ **cunningly**

The **cunningly** worded document fooled all the lawyers.

（その文書は狡猾に書かれていて、弁護士全員の目をくらませた。）

---

8. 見事に、立派に、賞賛に値することに

His presentation was ------- effective at convincing the clients to change the contract.

彼のプレゼンは（　　　　）効果的で、クライアントは揃って契約を変更することにした。

●● admirably

● commendably

● laudably

▲ honestly

✕ worthily

✕ praiseworthily

---

admirably（見事に、立派に）はここでは自然です。「賞賛に値するほど」というイメージがあります。

commendably（立派に、感心するほど）と **laudably**（称賛すべきほど、見事に）は格式ばった言い方で、admirably ほどしっくりしません。

honestly（正直に）は主に考えや性質に対して用いるため、やや不自然です。

worthily（立派に、ふさわしく）と **praiseworthily**（ほめるべきほどに）はここでは使えません。praiseworthily は、今ではまず使いません。

では、例文を確認しましょう。

▶ **admirably**

Thank you for conducting yourself **admirably** throughout this difficult period.

（このむずかしい時期にひとりで立派に遂行してくださり、感謝いたします。）

▶ commendably

Beth has always been **commendably** prompt, so I was surprised that she was so late.
（ベスはいつも仕事が速くて感心するので、こんな遅れてしまって驚いた。）

▶ laudably

Steve **laudably** repaid all the money he borrowed, even though he legally didn't have to.（スティーヴは法的な責任はないにもかかわらず、感心なことに借りたお金をすべて返済した。）

▶ honestly

I have **honestly** reported everything about the accident that I remember.（事故について覚えていることはすべて正直に話した。）

▶ worthily

Ms. Lee **worthily** represented her company at the international conference.（李さんは国際会議で会社の代表を立派につとめた。）

▶ praiseworthily

His accomplishments as an educator are **praiseworthily** vast.
（彼が教育者として成し遂げたことは、多大な賞賛に値するものばかりだ。）

9. 誠実に、本気で

Even if we can't succeed, let's ------- do our best to keep our promise.

たとえうまくいかなくても、約束を守れるように（　　　　）最大限の努力をしよう。

●●● sincerely
● faithfully
● truly
✕ heartily
✕ straight
✕ straightly
✕ unfeignedly

sincerely（本心から、誠実に、本気で）がここではいちばん自然です。

faithfully（忠実に、誠実に）はここでも使えますが、ちょっと古い感じがする語で、法律文書などでよく使われます。

アメリカの大統領は就任式でこんな風に言ったりします。

I do solemnly swear that I will **faithfully** execute the Office of President of the United States, and will to the best of my ability, preserve, protect and defend the Constitution of the United States.

（アメリカ合衆国の大統領として誠実に任務を遂行し、合衆国憲法を守りますことを、厳かに誓います。）

solemnly は 109-110 ページをご覧ください。

truly（真実に偽りなく）はここで使えますが、多少不自然です。

heartily（心から、真心をこめて）はここではまず使えません。**straight**（まっすぐに、はっきり），**straightly**（まっすぐに、一直線に）もここでは使えません。**unfeignedly**（偽らずに、真心を込めて）は、会話ではほとんど使われないと思います。

では例文を確認しましょう。

▶ sincerely

I **sincerely** believe that he is the best person for this job.

（心から思うけど、彼はこの仕事に最適だな。）

▶ faithfully

Thank you for **faithfully** fulfilling all your duties for over four decades.

（40 年以上、すべての業務を忠実に遂行していただき、感謝しております。）

▶ truly

I was **truly** sorry to hear that John and Sally have decided to go separate ways.

（ジョンとサリーが別々の道を歩むことになり、心から残念に思った。）

この go one's separate ways は「それぞれ違う人生を歩む」という意味で使われるイディオムですが、この separate ways も副詞ととらえることができます。

▶ heartily

Marvel's latest movie is **heartily** recommended to all those who went through the quarantine.

（マーベルの最新映画は、引きこもり生活を経験したすべての人たちに心からおすすめいたします。）

▶ straight

I trust Jack because he always talks **straight**.

（ジャックはいつもはっきり物事を言うから心から信用できる。）

▶ straightly

The statues are **straightly** positioned so that everything looks parallel.

（彫像はどれもまっすぐに置かれているので、おたがいに並行して立っているように見える。）

▶ **unfeignedly**

Do you think that we love our wives and husbands **unfeignedly**?

（われわれは夫や妻を心から愛していると思えますか？）

---

10. まじめに、本気で

Are you ------- thinking about quitting your job and becoming a singer?

仕事をやめて歌手になると（　　　　）考えているのか？

●●● seriously
▲ gravely
▲ soberly
▲ solemnly

---

seriously（まじめに、真剣に）は、ここではいちばん自然にあてはまります。seriously は次のように「重大に、ひどく」の意味でも使えるので、注意しましょう。

He was **seriously** suffering from infectious disease but recovered at last.（彼は感染症で重傷だったが、ついに回復した。）

gravely（まじめに、重々しく）は、ここではやや不適切です。この語は格式ばった言い方で、暗い気持ちが表現されます。

soberly（酔わずに、まじめに）もここではやや不自然です。soberly は「お酒に酔っていない、しらふな状態」を表現するので、それ以外の場面で使うと不自然と感じる人が多いです。

solemnly（厳かに、厳粛に、真剣に、まじめに）もこの文でやや不自然です。こちらは例文にあるように、主に **solemnly promise to...**（…を厳かに誓う）の形で使われます。

　ここにはない表現の **for serious**（まじめに、まじめな）は基本的にスラングですが、副詞としても使われることがあり、この文にあてはめることができます。**for serious** は次のように使われます。

"I'm thinking about quitting my job." (今の仕事辞めようと思ってるの。)
"**For serious**?! You have a great job!" (マジ？　いい仕事に就いてるのに！)

では、例文を確認しましょう。

▶ seriously
I am **seriously** concerned that nothing we do will solve this problem.
（真面目に心配しているが、ぼくらが何をしてもこの問題は解決できないだろう。）

▶ gravely
The king **gravely** described how the dragon was destroying his kingdom. (王は王国がドラゴンにどのように破壊されたか重々しく話した。)

▶ soberly
After **soberly** contemplating all the options, I have made a difficult decision. (すべての選択肢を厳粛に考えたのち、むずかしい判断を下した。)

▶ solemnly
We **solemnly** promise to make sure that this problem does not occur again. (この問題が二度と起こらないようにすることを厳かにお約束いたします。)

▶ for serious
This is **for serious** the worst financial situation we have ever been in. (今はここに来てから本当に最悪の経済状態だ。)

11. 速く、急いで、すばやく

Due to excellent treatment, the patient ------- recovered.

すばらしい処置もあって、患者は（　　　　　）回復した。

●●● quickly
●● rapidly
●● speedily
●● swiftly
▲ fast

quickly（速く、急いで、すばやく）がこの文ではいちばんしっくりします。quickly は「行動がすばやい」といった感じで、ほぼどんな場面でも自然に使えます。

rapidly（速く、急速に、急激に）もこの文に使えます。この副詞は「動作が速い、変化が急激に進む」というイメージです。

speedily（迅速に、敏速に、てきぱきと）もここで使えます。「行動や、やるべきことを迅速に行なう」という感じがあります。

swiftly（すばやく、迅速に）もここで使えます。この語は「動きがなめらかで軽快に」というイメージがあり、鳥や虫が一気に飛んで行く様子を思い浮かべるネイティブもいるでしょう。

fast（速く、急速に）は、ここではやや不自然です。なんとなく意味は通じるでしょうが、古い感じがしますし、間違いだと思うネイティブもいるでしょう。この副詞は「人や物の速度が速い」様子を示します。

では、例文を確認します。

▶ quickly

We need to eat **quickly** and run to the train station.

（さっさと食べて、駅まで急がないと。）

▶ rapidly

His heart beat **rapidly** as he picked up the phone and called her.

（受話器を取って彼女に電話をかけると、彼の心臓はバクバクした。）

▶ speedily

After Mary's first husband died, she **speedily** married another man.

（メアリーは最初のご主人と死別したあと、すぐに別の男性と結婚した。）

▶ swiftly

The bees moved **swiftly** from flower to flower.

（ハチが花から花へとせわしなく動いた。）

▶ fast

This situation is **fast** becoming a serious problem.

（状況はたちまち深刻な問題となった。）

---

12. ばかげたことに、おろかにも

I ------- got in a fight with my boss and got fired.

（　　　　）上司と争いになり、解雇された。

● ● ● foolishly
● ● stupidly
● idiotically
▲ daftly
▲ inanely
▲ goofily

---

foolishly（ばかなことに、おろかにも）はここではいちばん自然です。
stupidly（おろかにも、ばかみたいに）も使えます。foolishly の形容詞は

fool, stupidly の形容詞は stupid です。fool は常識や判断力が欠けている感じですが、stupid は先天的に頭が悪くて理解力が低い感じがします。もうひとつ似た意味の語に **silly**（ばかな、おろかな、めでたい）がありますが、こちらは子供じみた言動を指すときに使われます。silly の副詞に **sillily**（おろかにも）がありますが、こちらはまず使われることはありません。

idiotically（ばかみたいに）も、ここで使うことはできます。

daftly（ばからしく）、**inanely**（おろかにも）、**goofily**（ばかみたいに）はこの文だと違和感を覚えます。

例文を確認します。

▶ foolishly

She **foolishly** spent all her money on clothes, so she didn't have money for rent.

（彼女はおろかにもお金をすべて服に使ってしまい、家賃が払えなくなった。）

▶ stupidly

I know I acted **stupidly** by forgetting my computer on the train.

（おろかにもコンピューターを電車に置き忘れた。）

▶ idiotically

Why did you **idiotically** tell the client he wasn't very smart?（どうしてあのクライアントに、ちょっと頭が悪いですねみたいなおろかなことを言ったんだ！）

▶ daftly

I was **daftly** unaware that I was being teased.

（からかわれていることにおろかにも気づかなかった。）

▶ inanely

Linda **inanely** said that she could do the job in three hours, but everyone knew it would take three weeks.

（リンダはその仕事が 3 時間でできるなんてばかなことを口にしたが、3 週間かかるとみんなわかった。）

▶ goofily

The clown **goofily** chased the dog around the ring.

（道化はおどけて輪を描いて犬を追いかけまわした。）

---

13. ばかばかしいほど、途方もなく

Mike ------- bragged that he was the best engineer in the company.

マイクは（　　　　　）自分が会社イチのエンジニアと言い出した。

- ●● absurdly
- ● ridiculously
- ● nonsensically
- ▲ unreasonably

---

absurdly（不合理に、ばかばかしいくらいに、途方もなく）はここでは自然です。

ridiculously（ばかばかしいほど、ひどく）と **nonsensically**（無意味に、とんでもなく）も使えますが、**unreasonably**（不合理に、無分別に、とんでもなく）はやや不自然です。

副詞 **absurdly** は「信じられないくらい、けた外れに」という意味で使われます。それに対して、**ridiculously** は「滑稽に、ばかげているように」と文字通り「おかしな感じ、様子」を、**nonsensically** は「意味がないほど…な」という様子を、**unreasonably** は「不当に、とんでもなく」という意味を感じさせます。

以下の例文で、それぞれの使い方を確認しましょう。

▶ absurdly

Mike **absurdly** believed that he could sell his old computer for 3,000 dollars. （ばかばかしいことにマイクは使い古したコンピューターを3000ドルで売れると信じていた♪）

▶ ridiculously

He's wearing a **ridiculously** small face mask.

（彼はひどく小さなマスクをつけている。）

It was **ridiculously** hard to open the door.

（ドアを開けるのにひどく苦労した。）

▶ nonsensically

Nonsensically, the city sold the public park for only a few hundred dollars. （とんでもないことだが、市はその公園をわずか数百ドルで売り渡した。）

▶ unreasonably

She **unreasonably** argued that she had the right to sell the restaurant.

（彼女はレストランを売却する権利があるなどと、とんでもないことを言い出した。）

---

14. 危険なほどに

You are ------- close to getting fired, so don't say anything else.

解雇されてもおかしくない（　　　　　）状況にいるのだから、もう何も言うな。

●●● dangerously

●● perilously

● hazardously

---

dangerously（危険なほど、あやうく）がここでいちばん自然に使われます。

perilously（危険なほどに）も使えますが、この副詞は少し古い印象があります。

hazardously（危険を伴って、有害なことに）を使うネイティブはわずかでしょう。これは主に現実的な害や損壊を与える可能性がある場合に使われます。

例文を確認しましょう。

▶ dangerously

The children were walking **dangerously** close to the road.

（子供たちは危険なことに道のそばを歩いていた。）［close to... は 47 ページ参照］

▶ perilously

We came **perilously** close to going bankrupt.

（あやうく倒産寸前だった。）

▶ hazardously

The houses were built **hazardously** close to the river.

（その家は危険なことに川沿いに建てられた。）

III

特に注意して
使いたい副詞

副詞のなかには、「形容詞や名詞として使われることが多いものの、よく考えるとその状況では副詞として使われている」ものがあります。

たとえば、

all, any, early, more, only, some, still, well は形容詞として、

home, today, tomorrow, yesterday は名詞として、

that, this は指示形容詞として使われることが多いですが、

状況によって、副詞としても用いられます。

また、**quite, very, much** は状況により意味が変わるので、注意が必要です。

ネイティブはそもそも、品詞を意識して使うことはありません。

しかしそれが理解できると、非ネイティブでも文法に裏付けられた説得力のある説明ができるようになります。

第Ⅲ部では、日常的によく使われているからこそ「特に注意して使いたい副詞」を学習しましょう。

ALL

all は形容詞で使われることが多いですが、形容詞を修飾する形で、副詞として「**すべて、全部**」の意味で使われます。

形容詞
I don't like **all** these songs.（これらの曲はみんな好きじゃない。）

副詞
She lives **all** alone in Hokkaido.（1人で行った。）

そのほか、副詞として以下のような言い方をよくします。

all finished（完璧に終わった）
all done（全部終わった）
all wrong（全部間違い）
all right（全部 OK、大丈夫）
all set（用意ができて、準備オーケー）
all night long（一晩中）

all over も「すっかり終わって」「そこらじゅう」の意味で副詞としてよく使われます。

all over the world（世界中）
It's **all over** with him.（彼はもうだめだ。）

ANY

any も形容詞（いくらかの、少しの）としても副詞（いくらか、少しは、少しも）としても使われます。

形容詞
I don't have **any** time. (時間が全然ない。)

副詞
I don't have **any more** time. (これ以上、時間が取れない。)

anymore（**今は、今後は**）も副詞として使われます。疑問文、否定文で用いられます。

I don't have time **anymore**. (今はもう時間がない。)

否定文＋ any more と**否定文＋ anymore** の違いには、注意が必要です。
I don't have **any more** time. は、ネイティブからすると「（これまでの状況とは違い）今はもう時間がない」→「これ以上、時間が取れない」という意味になります。
それに対し、I don't have time **anymore**. は「これ以上はもう時間がない」→「今はもう時間がない」です。
以下の例文もご覧ください。

I can't eat **any more** chocolate. (これ以上チョコは食べられない。)

I can't eat chocolate **anymore**. (今はもうチョコは食べられない。)

EARLY

early（早く、早くから）も副詞・形容詞としてよく使われます。early の置かれる場所で意味が変わることがあるので、注意が必要です。

We need to get an **early** start tomorrow.（明日は早くはじめる必要がある。）

この場合「明日は**早めにスタートする必要がある**」という意味になります。get an **early** start で「早めにスタートする」です。それに対し、

We need to start **early** tomorrow.（朝早くはじめる必要がある。）

こちらは「**明日の（朝）早くから**スタートする必要がある」となります。**early** in the week なら「週の前半に」ですし、**earlier** than usual ならば「いつもより早くに」です。
　また「すぐに会いましょう」と伝えようとして、

Let's meet **early**.

と言ってしまう人がいますが、これは Let's meet early (tomorrow morning).すなわち、「(明日の朝) 早くに会いましょう」という意味に取られてしまうので、注意しましょう。
　「すぐに会いましょう」であれば、副詞の soon を使い、

Let's meet **soon**.（すぐに会いましょう。）

と言えば誤解されることなく伝わります。

MORE

more は形容詞としても**副詞（もっと多く、さらに多く）**としても使われますが、どちらの場合も表現にはっきりした違いはないようです。

形容詞

You have **more** work to do today. （今日はもっと仕事があるよ。）

副詞

You have to work (some) **more** today.

（今日はもっと仕事しないといけないよ。）

同じような意味合いで、You have to work longer today. もよく使います。

ONLY

only も、more と同じく形容詞（**ただ1つ[1人]の、唯一の**）としても、**副詞（ただ…だけ、単に）**としても使われますが、はっきりした違いはないようです。

形容詞

This is your **only** chance. （チャンスはこれしかない。）

副詞

You **only** have one chance. （チャンスは1度きりだ。）

SOME

some は形容詞としても副詞としても使われるうえに、それぞれさまざまな意味で使われます。

some は形容詞では「いくらかの」、副詞では「**いくらか**」の意味でよく使われます。

しかし some には「あるていどの」「あるていどは」という含みがあるので、**相手にどのていどの量か、十分に理解してもらえる場合に用います。** この知識は英和翻訳、和英翻訳のどちらにおいても役に立ちますので、ぜひ覚えておいてください。

形容詞、副詞とも例を挙げます。

形容詞

I bought **some** apples at the grocery store.

（あの食料品店でリンゴをいくつか買った。）[**いくらかの、多少の**]

We had to stay at our home **some** days during quarantine.

（外出自粛中はかなりの日数を家で過ごさなければならなかった。）

[**相当な、かなりの、なかなかの**]

副詞

The fear for the COVID-19 has been down **some** recently.

（コロナウイルスに対する恐怖は最近少し和らいでいる。）[**いくらかは、多少は**]

A: "Do you miss me?"（わたしに会いたい？）

B : "**Some**."（とっても。）[**相当に、かなり、なかなか**]

123

また、形容詞としてですが、日常会話では「about + 数字」の代わりに「副詞 some + 数字」を使うこともあるようですが、堅い文書では避けたほうがいいでしょう。

　「約、およそ、ほぼ」の意味で用いられます。

　以下、例を挙げます。

形容詞

Some 30 shops are open on Saturday.

（およそ 30 の店が土曜日に営業している。）

I drove **some** 75 miles to see the band play live.

（そのバンドが演奏するのを見に、およそ 75 マイル車を走らせた。）

STILL

　副詞 still は形容詞で「じっとして動かない、静止した」の意味で使われることもありますが、副詞として「**まだ、なお、今でも、今までどおり**」「**さらに**」の意味でも用いられます。そして注意していただきたいのは、「**にもかわらず、それでも**」の意味で接続詞のように使われることがあるということです。

　以下の例文をご覧ください。

He has already published more than 200 books; **still** he has a tremendous amount of ideas to write about.

（彼はすでに 200 冊以上本を出している。それでもまだ執筆のアイデアが山ほどある。）

WELL

well も、形容詞としても副詞としても使われ、状況により意味が変わります。

形容詞

I heard you're **well**.（あなたが元気と聞いた。）

副詞

I heard you did **well**.（あなたが上手くやったと聞いた。）

形容詞

I know he's **well**.（彼が元気ということを知っている。）

副詞

I know him **well**.（彼をよく知っている。）

good（うまく、立派に、上手に）も副詞として使われますが、「テストはうまくいった」は、

He did good on the test.

とは言えません。ネイティブでもよく日常会話でこのように言ってしまいますが、間違いです。正しくは、

He did **well** on the test.

となります。

HOME

home（家）は名詞として使われることがほとんどですが、

go **home**

と言った場合、副詞として「**わが家へ、故国へ**」といった意味で使われます。
　go home と言った場合、自分が住んでいる家よりも「帰る行為そのもの」
をイメージするネイティブが多いと思います。そのため、動詞の「帰る」行為
を強調する副詞として使われるのです。
　例を挙げます。

I'll be **home** in a few minutes.（あと数分で家に戻る。）

　主にアメリカ英語の例となりますが「**家にいて、在宅して**」の意味で用いる
場合もあります。まさに stay home（家にいる）が、その例です。

I just want to stay **home** and watch TV.
　（ただ家にいて、テレビを見ていたい。）

　「**痛切に、ぐさりと胸を突くように**」の意味でも使われ、次のような言い方
もします。

His speech really hit **home**.（彼の演説が胸にしみた。）

TODAY, TOMORROW, YESTERDAY

　today（今日），**tomorrow**（明日），**yesterday**（昨日）は名詞や形容詞だけでなく、**副詞としても使われます**。その場合、いずれも文末に使われることが多いようです。

I have a meeting with a client on Zoom at 3:30 **today**.
（今日、3時半からクライアントとズームで会議をする。）

I'm going to go shopping **tomorrow**.　（明日、買い物に行く。）

We had an online drinking party **yesterday**.
（昨日、オンライン飲み会をした。）

　それをするのは「今日」、「明日」、「昨日」と、時期を強調したい場合は文頭に置きます。

Today at 3:30 I have a meeting with a client on Zoom.
（クライアントとズームで会議をするのは、今日3時半からだ。）

Tomorrow I'm going to go shopping.　（買い物に行くのは、明日だ。）

Yesterday we had an online drinking party.
（オンライン飲み会をしたのは、昨日だ。）

THAT, THIS

that と this も、副詞として使われることがあります。

副詞の that には「それほど、そんなに」の意味があり、主に数量や程度を強調する際に用います。

I don't think we can walk **that** far.

（われわれはそんなに遠くまで歩けないと思う。）

I didn't expect the meeting to go **that** long.

（会議がそんなに長びくとは思わなかった。）

Are we really **that** short of time?

（本当にそんなに時間が足りないんですか？）

that にはそもそも客観的なニュアンスがあるため、あえて強調することで、やや批判的なニュアンスになります。

また**否定文＋ all that** だと「あまり…でない、そう（ひどく）…ではない」となります。

He said this curry was the hottest, but it wasn't **all that** spicy.

（彼はこのカレーがいちばん辛いと言ったが、そう辛くはない。）

I thought this class would be hard, but it wasn't **all that** difficult.

（このクラスは大変だと思ったが、そうむずかしくはない。）

一方、**this** は「これほど、こんなに」の意味で用いられます。

I didn't realize it was **this** late. （それがこんなに遅くなるとはわからなかった。）

この文は、次のように言い換えることも可能です。

I didn't realize it was as late as **this**.

また this は、「**これぐらい（は）**」と、これから示したり説明したりするものを指して使うことがあります。主観的なニュアンスがあるため、日常会話で身ぶり手振りをつけて用いることがよくあります。

It's about **this** big. （それはこれぐらいの大きさです。）

以下、この this を使った例を挙げます。

Do you always have to work **this** late?
（いつもこんなに遅くまで仕事しなくちゃいけないの？）

I like ice cream, but I can't eat **this** much.
（アイスクリームは好きだけど、こんなに食べられない。）

I didn't realize she was **this** wealthy.
（彼女がこんなにお金持ちだとは思わなかった。）

It's such a pain commuting **this** far.
（こんなに遠くまで出勤するのは本当に辛いよ。）

QUITE

quite の使い方は、日本人のみなさんにはむずかしいかもしれません。

というのは、「すっかり、まったく」という意味で使われることもあれば、「なかなか」「まあまあ」の意味で用いられることもあるからです。

次のように覚えておくのがよいでしょう。

「すっかり、まったく」の意味の場合は、はっきり「いい」か「悪い」か、わかる形容詞や副詞を修飾する場合に使われるように思います。「ほぼ完璧」「めいっぱい」を示す場合です。

すなわち、

perfect, perfectly, complete, completely, right, all right, sure, certain, full, empty...

などの語を修飾する場合です。

それに対し「なかなか、まあまあ、まずまず」の意味の場合は、それがどのていどかはっきりわからない形容詞や副詞に対して用いられます。

すなわち、

good, bad, pretty, nice, hot, cold, comfortable...

などです。用例をいくつか挙げましょう。

まずは、「すっかり、まったく」の意味で使われる例です。

You're **quite** right. (あなたはまったく正しい。)

Are you **quite** sure?（それは確かか？）

George is a good cook, but the pizza he made wasn't **quite** perfect.
（ジョージはいい料理人だが、あのピザは完璧ではなかった。）

The dessert isn't **quite** complete yet. Could you wait five more minutes?
（デザートはまだ出来上がっていません。5分待っていただけますか？）

Yes, you're **quite** right. This is the best coffee I've ever had.
（はい、そのとおりです。これは今まで飲んだなかでいちばんおいしいコーヒーです。）

It's **quite** all right. This happens all the time.
（まったく問題ありません。よくこういうことはあります。）

I'm **quite** sure that interest rates will go up in August.
（8月には間違いなく金利が上がる。）

I know you're worried, but I feel **quite** certain that Nancy will finish on time.（ご心配のことと思いますが、ナンシーは間違いなく予定通りに仕上げてくれるはずです。）

The desserts look really good, but I'm **quite** full.
（デザートはおいしそうだけど、お腹がいっぱいです。）

This wine bottle isn't **quite** empty. Have just a little more.
（ワイン・ボトルはまだ空になっていません。もう少しどうですか。）

I'm afraid I can't **quite** completely agree with you.
（残念ながら全面的に賛成できません。）

次に「なかなか、まあまあ、まずまず」の例です。

His performance was **quite** good. (彼のパフォーマンスはまずまずだった。)

This chair doesn't look very good, but it's **quite** comfortable.
(その椅子は見栄えは悪いが、なかなか座り心地がいい。)

Mike didn't like the pizza, but I thought it was **quite** good.
(マイクはピザがうまいと思わなかったが、そんなに悪くなかったと思う。)

Alice is actually **quite** pretty when she dresses up.
(アリスはちゃんとした服を着るとなかなかかわいい。)

I stayed at that hotel and it was **quite** nice.
(そのホテルに宿泊したが、なかなかよかった。)

This pan is still **quite** hot, so don't touch it.
(パンはまだ熱いから、触らないこと。)

It's going to get **quite** cold today, so make sure you wear a coat.
(今日は結構冷え込むから、コートを着ていきなさい。)

quite a ... または **quite some ...** で、「大した…、並外れた…」と強調することができます。

That sounds like **quite** a journey! (それは大した旅だったね。)

His wife's death must have been **quite** a blow.
(奥さんの死は大きな衝撃だったに違いありません。)

VERY, MUCH

very（とても、非常に、大いに）は形容詞、副詞の原級を修飾し、**much**（大いに、よほど）は比較級、最上級を修飾することはご存知だと思いますが、もうひとつ覚えておいていただきたいことがあります。

very は -ing 形の形容詞を修飾するのに対して、**much** は -ed 形の形容詞を修飾します。

以下、用例を挙げます。

まずは、very ＋ ing 形の形容詞の例を。

He is a **very interesting** guy.（彼はとても面白いやつだ。）

Several hotel guests complained that the noise from the construction site was **very annoying**.

（工事現場の騒音がひどいとホテルの何人かの宿泊客から苦情があった。）

The entire speech was **very boring**, so I didn't learn anything.

（そのスピーチは最初から最後までとても退屈で、学ぶことなどなかった。）

つづいて much ＋ -ed 形の形容詞の例を。

The information we received was **much appreciated**.

（情報をお送りいただき、誠にありがとうございます。）

The movie company has postponed the release date of its **much anticipated** flick as theaters across the country shutter amid the coronavirus outbreak.

（コロナウイルスの蔓延で国中の映画館が閉鎖されたことを受けて、映画会社は非常に期待されている作品の公開を延期した。）［flick は口語表現で「映画」］

We are very **much excited** to announce the opening of our new store in Hong Kong.
（大変うれしいことに、香港に新しい店舗がオープンしましたことをお知らせいたします。）

IV

副詞総索引

副詞総索引

・本書に出てくる副詞をすべてまとめました。
・左から副詞、意味、ページ数です。
・本文では使われていない意味もここには記しました。
・意味が違うものは数字をつけて区別しました。
・単語集としてご活用ください。

【A】

☐ absolutely	まったく、完全に	60-61
☐ absurdly	不合理に、ばかばかしいくらいに、途方もなく、信じられないくらい、けた外れに	114-115
☐ actually	実際（に）は、本当は	64-65
☐ admirably	見事に、立派に	105
☐ adroitly	巧みに、機敏に	103-104
☐ again	ふたたび	25
☐ all	すべて、全部	118-119
☐ all over	1 すっかり終わって　2 そこらじゅう	119
☐ all right	申し分なく、ちゃんと	18
☐ alone	1 人で、単独で	83-84
☐ always	いつも、常に	76-77
☐ amazingly	びっくりするほど	71-72, 98
☐ angrily	怒って	31
☐ any	いくらか、少しは、少しも	118, 120
☐ anymore	今は、今後は	120
☐ any more	これ以上	120
☐ arguably	まず間違いなく、おそらく、たぶん	59-60

I どんなときに副詞を使うのがいいか？

II 副詞の使い分け

III 特に注意して使いたい副詞

☑ IV 副詞総索引

[S]

☐ sadly	悲しそうに、悲しんで	51
☐ safely	安全に、無事に、問題なく	18
☐ seldom	めったに…しない	80-81
☐ sensibly	分別よく、賢く、気がきいて	102
☐ separately	別々に、別個に	84-86, 92-93
☐ separate ways = go one's separate ways	それぞれ違う人生を歩む	108
☐ seriously	まじめに、真剣に	26, 109-110
☐ severally	別々に	85-86
☐ severely	ひどく、深刻に	99-100
☐ sharp	急に、すばやく	44
☐ sharply	1くっきりと　2急に、すばやく　3鋭く	44, 90-91, 102-103
☐ significantly	相当に、かなり	58, 62-63
☐ silently	黙って、無言で、音を立てずに、静かに	32-33
☐ sillily	おろかにも	113
☐ simply	単に…だけ、ただ	83-84
☐ sincerely	本心から、誠実に、本気で	107-108
☐ skillfully	上手に、巧みに	103
☐ slow	ゆっくりと	40-41
☐ slowly	ゆっくりと、遅く	40-41
☐ smart	懸命に、賢く	39
☐ smartly	1スマートに、こぎれいに　2すばやく、利口に　3猛烈に、かなり	39, 102
☐ smoothly	なめらかに、円滑に、すらすらと	32
☐ soberly	酔わずに、まじめに	109-110
☐ solely	ただ…だけ、単に	83-84
☐ solemnly	厳かに、厳粛に、真剣に、まじめに	109-110
☐ some	1いくらかは、多少は　2相当に、かなり、なかなか	118, 123-124

【T】

参考文献

　日本の学習辞典と英文法関係の書籍には、ネイティブスピーカーにも参考になるものがたくさんあります。ここに挙げた辞書、書籍は本書執筆において常時参照させていただきました。記して、各著者、編者、関係者のみなさまに謝意を表します。(デイビッド・セイン)

◆辞書

『ライトハウス英和辞典』(2012^6) 研究社.

『コンパスローズ英和辞典』(2018) 研究社.

『新英和大辞典』(2002^6) 研究社.

『新英和中辞典』(2003^7) 研究社.

『リーダーズ英和辞典』(2012^3) 研究社.

『新編英和活用大辞典』(1995) 研究社.

研究社オンライン・ディクショナリー　研究社.

Oxford Advanced Learner's Dictionary (2013^8) Oxford University Press.

Collins COBUILD Advanced Learner's Dictionary (2014^8) Collins COBUILD.

Longman Dictionary of Contemporary English Paperback & Online (2014^6) Longman.

◆文法書

マイケル・スワン［吉田正治訳］（2018⁴）『オックスフォード実例現代英語用法辞典〈第 4 版〉』研究社 . ［Swan, M.（2017⁴）*Practical English Usage.* Oxford University

宮川幸久・林龍次郎／向後朋美・小松千明・林弘美（2016）『［要点明解］アルファ英文法 新装版』研究社 .

安藤 貞雄（2005）『現代英文法講義』開拓社 .

石黒 昭博（2013）『総合英語 Forest 7th Edition』桐原書店 .

江川泰一郎（2002）『英文法解説　改訂三版』金子書房 .

大西泰斗／ポール・マクベイ（2011）『一億人の英文法 ——すべての日本人に贈る「話すため」の英文法』東進ブックス .

安井稔（1996）『英文法総覧　改訂版』開拓社 .

綿貫陽／宮川幸久・須貝猛敏・高松尚弘（2000）『徹底例解ロイヤル英文法 改訂新版』旺文社 .

Carter, R. and M. McCarthy（2006）*Cambridge Grammar of English: A Comprehensive Guide.* Cambridge University Press.

著者紹介

デイビッド・セイン（David A. Thayne）

　1959 年アメリカ生まれ。証券会社勤務を経て、来日。豊富な教授経験を活かし、現在までに 300 冊以上、累計 400 万部を超える著作を刊行している。日本で 30 年近くにおよぶ豊富な英語教授経験を持ち、これまで教えてきた日本人生徒数は数万人におよぶ。英会話学校経営、翻訳、英語書籍・教材制作などを行なう AtoZ English（www.atozenglish.jp）の代表も務める。

　著書に、『ネイティブが教える　英語の時制の使い分け』『ネイティブが教える ほんとうの英語の前置詞の使い方』『ネイティブが教える　英語の句動詞の使い方』『ネイティブが教える　ほんとうの英語の助動詞の使い方』『ネイティブが教える 英語の形容詞の使い分け』『ネイティブが教える　ほんとうの英語の冠詞の使い方』『ネイティブが教える　英語の動詞の使い分け』『ネイティブが教える 英語の語法とライティング』（研究社）、『ちょい足しで丁寧に！ 英語のクッションことば』（ジャパンタイムズ出版）など多数。オンライン英会話教室 i-smile を運営（www. ismile1. net/）。

● 執筆協力 ●
古正佳緒里
Trish Takeda
Shelley Hastings
Michael Deininger
Sean McGee

● 校閲・校正 ●
北田伸一（東京理科大学准教授）

● 編集協力・索引作成 ●
関淳子

● イラスト ●
アサミナオ

ネイティブが教える
英語の副詞の使い方
Natural Adverb Usage for Advanced Learners

● 2020 年 7 月 31 日　初版発行 ●

● 著者 ●

デイビッド・セイン（David A. Thayne）

Copyright © 2020 by AtoZ English

発行者　●　吉田尚志

発行所　●　株式会社　研究社

〒 102-8152　東京都千代田区富士見 2-11-3

電話　営業 03-3288-7777（代）　編集 03-3288-7711（代）

振替　00150-9-26710

http://www.kenkyusha.co.jp/

KENKYUSHA

装丁　●　久保和正

組版・レイアウト　●　AtoZ English

印刷所　●　研究社印刷株式会社

ISBN 978-4-327-45297-1 C0082　Printed in Japan